CW01084184

Le poids de la neige

CHRISTIAN GUAY-POLIQUIN

Le poids de la neige

ROMAN

À André B. Thomas

aujourd'hui
le temps a métallisé la neige
et le silence s'est réjoui

pour mieux se confondre
des traits blancs se précipitent au sol

des montagnes s'accrochent
sur les écorces des arbres et sur
des bras épineux

les verts disparaissent
les bleus deviennent opalescents
les contours des bruns et des roux
s'estompent

par moments
un oiseau tire un trait noir
dans cet espace accéléré

J.-N. POLIQUIN, hiver 1984

1

Le labyrinthe

Regarde. C'est un lieu plus vaste que toute vie humaine. Celui qui tente de fuir est condamné à revenir sur ses pas. Celui qui pense avancer en ligne droite trace de grands cercles concentriques. Ici, tout échappe à l'emprise des mains et du regard. Ici, l'oubli du monde extérieur est plus fort que toute mémoire. Regarde encore. Ce labyrinthe est sans issue. Il s'étend partout où se posent nos yeux. Regarde mieux. Aucun monstre, aucune bête affamée ne hante ces dédales. Mais on est pris au piège. Soit on attend que les jours et les nuits aient raison de nous. Soit on se fabrique des ailes et on s'évade par les airs.

Trente-huit

La neige règne sans partage. Elle domine le paysage, elle écrase les montagnes. Les arbres s'inclinent, ploient vers le sol, courbent l'échine. Il n'y a que les grandes épinettes qui refusent de plier. Elles encaissent, droites et noires. Elles marquent la fin du village, le début de la forêt.

Près de ma fenêtre, des oiseaux vont et viennent, se querellent et picorent. De temps à autre, l'un d'eux observe la tranquillité de la maison d'un œil inquiet.

Sur le cadre extérieur, une fine branche écorcée a été fixée à l'horizontale, en guise de baromètre. Si elle pointe vers le haut, le temps sera clair et sec ; si elle pointe vers le bas, il va neiger. Pour l'instant le temps est incertain, la branche est en plein milieu de sa trajectoire.

Il doit être tard. Le ciel gris est opaque et sans aucune nuance. Le soleil pourrait être n'importe où. Quelques flocons virevoltent dans l'air en s'accrochant à chaque seconde. À une centaine de pas de la maison, dans la clairière, Matthias enfonce une longue perche dans la neige. On dirait le mât d'un bateau. Mais sans voile ni drapeau.

Des gouttes d'eau perlent sur la corniche et rejoignent la pointe des glaçons. Quand le soleil sort, ils brillent comme des lames acérées. De temps à autre, l'un d'eux se décroche, tombe et s'enfonce dans la neige. Un coup de poignard dans l'immensité. Mais la neige est invincible. Bientôt, elle atteindra le bas de ma fenêtre. Puis le haut. Et je ne verrai plus rien.

C'est l'hiver. Les journées sont brèves et glaciales. La neige montre les dents. Les grands espaces se recroquevillent.

Trente-neuf

Le cadre de ma fenêtre est humide. Le bois est marqué par des cernes spongieux et colorés. Quand il fait très froid, ils se couvrent de frimas, de cristaux. On dirait du lichen.

Quelques bûches crépitent dans le poêle. De mon lit, je vois les braises scintiller par la prise d'air. C'est un poêle ancien et massif. Ses portes grincent dès qu'elles bougent. Et cet amas de fonte noire et brûlante constitue le centre de nos vies.

Je suis seul dans la véranda. Tout est immobile. Tout est à sa place. Le tabouret de l'entrée, la chaise à bascule, les trucs de cuisine, tout. Par contre, sur la table, il y a un étrange cylindre doré. Il n'était pas là ce matin. Matthias est certainement allé de l'autre côté. Mais je ne me suis aperçu de rien.

La douleur ne me donne pas de répit. Elle me tient, elle me serre, elle me possède. Pour la supporter, je ferme les yeux et j'imagine être au volant de ma voiture. En me concentrant, j'arrive même à entendre le vrombissement du moteur. À voir les paysages défiler, à être ébloui par le point de fuite de la route. En revanche, dès que j'entrouvre les paupières, la réalité est écrasante. Je suis cloué à un lit, les jambes immobilisées dans des attelles. Ma voiture n'est plus qu'un amas de ferrailles tordues quelque part sous la neige. Et je ne suis plus maître de mon destin.

Mon estomac brise le silence. J'ai faim. Je me sens faible et ankylosé. Sur la table de chevet, il ne reste que des miettes de pain noir et un fond de café huileux. Matthias ne devrait pas tarder.

Quarante et un

La porte s'ouvre et une bouffée d'air froid s'engouffre dans la pièce. Matthias s'avance et jette une brassée de bois près du poêle. Les bûches s'entrechoquent et des morceaux d'écorce tombent sur le sol.

Matthias se défait de son manteau, s'agenouille et remue le feu avec le tisonnier. Derrière lui, ses traces de bottes fondent et s'étendent en suivant la dénivellation du plancher.

Il ne fait pas très froid, dit-il en tendant les mains vers la chaleur, mais c'est humide. Ça transperce les os.

Quand les flammes grondent en léchant les parois métalliques, Matthias referme les portes du poêle, met une marmite de soupe à chauffer et se retourne vers moi. Ses longs sourcils, ses cheveux blancs et les rides éclatantes qui sillonnent son front lui donnent des airs de savant fou.

J'ai quelque chose pour toi.

Je sourcille. Matthias saisit le cylindre doré qui était sur la table et me le tend. Un large sourire fend son visage. Le cylindre est lourd et télescopique. Ses extrémités sont vitrées. Je le retourne dans tous les sens. C'est une longue-vue. Comme celle que les marins utilisaient, autrefois, pour repérer la ligne du rivage, ou les navires ennemis.

Regarde dehors.

Je me redresse dans mon lit, déploie le tube coulissant et le colle à mon œil. Tout converge jusqu'à moi et chaque chose se découpe avec précision. Comme si j'étais de l'autre côté de la fenêtre. Les traits noirs des oiseaux, les empreintes de pas dans la neige, le calme déroutant du village, l'orée de la forêt.

Regarde encore.

Je connais pourtant ce décor par cœur. Je l'observe depuis longtemps. Je ne me souviens plus vraiment de l'été, à cause de la fièvre et des médicaments, mais j'ai vu le lent mouvement du paysage, le ciel gris de l'automne, la lumière rougeoyante des arbres. J'ai vu les fougères se faire mâcher par le givre, les hautes herbes casser à la moindre brise, les premiers flocons se poser sur le sol gelé. J'ai vu les traces laissées par les bêtes qui inspectaient les alentours après la première neige. Depuis, le ciel n'en finit plus d'ensevelir le décor. L'attente domine le paysage. Et tout a été remis au printemps.

C'est un décor sans issue. Les montagnes découpent l'horizon, la forêt nous cerne de toute part et la neige crève les yeux.

Regarde mieux, lance Matthias.

J'examine la longue perche que Matthias vient d'installer dans la clairière. Je remarque qu'il l'a minutieusement graduée.

C'est une échelle à neige, annonce-t-il triomphalement.

Avec la longue-vue, je peux voir que la neige atteint quarante et un centimètres. Je considère la blancheur du décor pendant un instant, puis me laisse choir sur mon lit en fermant les yeux.

Merveilleux, me dis-je. Nous allons désormais pouvoir mesurer notre désarroi.

Quarante-deux

Matthias prépare du pain noir. Une sorte de brique de farine de sarrasin et de mélasse. Il dit que c'est consistant et nutritif. Et que c'est la meilleure chose à faire lorsqu'il faut rationner nos vivres en attendant la prochaine livraison.

Comme un vieux chaman, il mélange, pétrit et façonne la pâte avec une surprenante économie de gestes. Quand il a terminé, il secoue ses vêtements dans un nuage de farine et il fait cuire ses galettes de pain noir directement sur la surface du poêle.

Le temps s'est dégagé. J'observe les maisons du village, entre les arbres, au bas de la colline. La plupart d'entre elles ne montrent aucun signe de vie, mais quelques cheminées fument généreusement. Les colonnes grises montent bien droit dans les airs comme si elles refusaient de se fondre dans l'immensité. Il y en a douze. Treize avec la nôtre. Avec la longue-vue, on dirait que le village est tout près, mais c'est une illusion. Il est à plus d'une heure de marche. Et moi, je n'arrive toujours pas à sortir de mon lit.

Je crois que nous avons passé le solstice. Dans le ciel, la course du soleil est encore très brève, mais les journées rallongent sans qu'on s'en aperçoive. Le Nouvel An aussi doit être derrière. Je ne sais trop. Ça n'a plus vraiment d'importance. Ça fait longtemps que j'ai perdu la notion du temps. Et le goût de la parole. Personne ne peut résister au silence, enchaîné à des jambes cassées, un hiver, dans un village sans électricité.

Nous avons encore une bonne réserve de bois, mais elle diminue rapidement. Nous vivons dans une véranda cousue de courants d'air et, plusieurs fois par nuit, Matthias se réveille pour alimenter le poêle. Quand le vent se lève, on sent que le froid nous tient dans le creux de sa main.

On nous apportera du bois et des vivres d'ici quelques jours. En attendant, j'ai beau me redire que j'ai survécu à un terrible accident de voiture, je sais que je ne peux plus rien faire par moi-même.

Quarante-deux

Un croissant de lune berce le ciel noir. Une croûte épaisse s'est formée sur la neige. Avec les reflets de la nuit, on dirait une mer calme et chatoyante.

Dans la pièce, la lampe à huile éclaire les murs en dessinant des ombres dorées. Matthias s'avance vers moi avec un bol de soupe et une galette de pain noir. On mange toujours de la soupe et du pain noir. Chaque fin de soupe est la base de la suivante. Quand nous arrivons au fond de la marmite, Matthias rajoute de l'eau et tout ce qui lui tombe sous la main. Si nous avons de la viande, il s'empresse de faire bouillir les os et la graisse afin de récupérer le bouillon. Légumes, pain sec, tout va dans la soupe. Et, chaque jour, à chaque repas, nous avalons cette soupe sans fond.

Pendant que Matthias s'assoit à table et joint les mains discrètement en se recueillant, j'engloutis tout ce que je peux. Je termine souvent mon repas avant qu'il n'ait commencé le sien.

Au début, Matthias devait me forcer à manger pour que je récupère et reprenne des couleurs. Il m'aidait à me redresser et me nourrissait patiemment, à la petite cuillère, comme un enfant. Aujourd'hui, j'arrive à m'adosser aux oreillers par moi-même. La douleur et la fatigue persistent, mais j'ai retrouvé l'appétit. Lorsqu'il parvient à mettre la main sur quelques litres de lait, Matthias fait du fromage avec la présure qu'il a trouvée dans la laiterie de l'étable. Parfois, il en donne à des gens au village, mais, souvent, il est si bon que nous le dévorons en quelques jours, à même le tissu dans lequel il s'est égoutté.

La cicatrisation de mes blessures me prend beaucoup d'énergie. Tout comme évaluer le temps qui passe. Je devrais peut-être faire comme Matthias et dire simplement avant la neige ou depuis la neige. Mais ça serait trop facile.

Il n'y a plus d'électricité depuis des mois. Au début, m'a-t-on dit, il y avait des coupures dans le village. Rien d'inquiétant. Les gens s'y étaient pratiquement habitués. Ça durait quelques heures, puis ça revenait. Jusqu'à ce que, un matin, ça ne revienne plus. Ni ici ni ailleurs. C'était l'été. Les gens prenaient ça du bon côté. Par contre, quand l'automne est arrivé, il a fallu penser à s'organiser. Comme si on avait été pris par surprise. C'est l'hiver maintenant, et personne n'y peut rien. Dans les maisons, on se retrouve tous autour d'un poêle à bois et de quelques casseroles noircies.

Matthias finit son bol de soupe et le repousse vers le centre de la table.

Durant un instant, il ne se passe rien. J'aime particulièrement ces moments d'arrêt qui suivent les repas.

Mais ils ne durent jamais longtemps.

Matthias se lève, ramasse les plats et les récure dans le bac à vaisselle. Il emballe ensuite les galettes de pain dans un sac en plastique, plie les vêtements qui étaient suspendus au-dessus du poêle, allonge la mèche de la lampe à huile, prend la trousse de premiers soins et approche une chaise.

Quarante-deux

Matthias se racle la gorge comme s'il s'apprêtait à me faire la lecture. Mais il ne dit rien, il
fait craquer son cou de chaque côté et retire la
courtepointe qui couvre mes jambes.

Je détourne la tête. Matthias pense peut-être
que je regarde dehors, mais je vois très bien son
reflet dans la vitre noire. Une à une, il défait
les courroies de mon attelle droite. Il glisse une
main sous mon talon et soulève ma jambe.

Mon pouls accélère. La douleur rugit et me
fixe comme un animal souple et puissant.

Matthias déroule patiemment mes bandages.
Ses gestes sont lents et méthodiques. Quand
il arrive aux derniers tours de gaze, je sens le
tissu qui colle à ma peau à cause de l'humidité, du sang, de l'infection. Il coupe le reste
du pansement aux ciseaux et le retire en bloc
avec une précaution calculée. J'inspire profondément et me concentre sur l'air qui s'engouffre
dans ma cage thoracique. Matthias recule la tête.
J'imagine qu'il évalue la rougeur, l'enflure, le cal
osseux, la forme du tibia et du genou.

Il sera bientôt temps d'enlever tes points de
suture, note-t-il, en désinfectant ma plaie.

La sensation de brûlure est intense. J'ai l'impression que ma chair est en train de fondre sur mes os.

Ne bouge pas ! tonne Matthias, laisse-moi faire.

J'essaie de diriger mon regard le plus loin possible de mes jambes, vers le fond de la pièce où il y a deux portes. La porte d'entrée et celle qui mène de l'autre côté. Je regarde le poêle massif, les objets sur les étagères, le plafond, avec ses poutres équarries à la hache. Deux ampoules y sont suspendues, comme des squelettes de dinosaures dans les musées.

Matthias sort un tube de la trousse de premiers soins et tente de déchiffrer son étiquette. En soupirant, il prend ses lunettes dans sa poche de chemise et les pose au bout de son nez.

Ça devrait aller.

Avant de refaire mes pansements, il applique une épaisse couche d'onguent sur ma plaie. C'est froid. Ça me soulage pendant quelques instants. Jusqu'à ce qu'il resserre les courroies de mon attelle pour immobiliser ma jambe et que mon cœur vienne cogner très fort à mes tempes. J'empoigne solidement mes draps en maudissant mon sort. Matthias me parle. Ses lèvres bougent, mais je n'entends rien. Je crois qu'il essaie de me dire que c'est terminé. Au bout de quelques secondes, la douleur décroît légèrement, puis, comme si nous étions très loin l'un de l'autre, sa voix parvient faiblement jusqu'à moi.

Endure, dit-il, endure, il faut faire l'autre jambe maintenant.

Quarante-cinq

Je crois qu'il a neigé un peu durant la nuit, mais ce matin le ciel est bleu et dur. Pendus à la corniche, les glaçons scintillent.

Sur le poêle, il y a une marmite remplie de neige. Cet automne, Matthias puisait l'eau directement dans le ruisseau qui descend vers le village. Elle était claire et limpide. Elle avait le goût de la pierre lisse et des racines. Certains matins, il devait casser la glace pour remplir son seau. Au début, il suffisait qu'il appuie sur la surface, mais, peu après, il a dû se servir d'une branche, puis d'une hache. Un jour, il s'est lassé et il a commencé à faire fondre de la neige. Ça n'a pas le même goût, mais je ne peux pas me plaindre. Ici, c'est Matthias qui s'occupe de tout. C'est lui qui chauffe le poêle, qui cuisine, qui vide le pot dans lequel je fais mes besoins. C'est lui qui décide, qui dispose, qui assume. Ici, c'est lui le maître de l'espace, et du temps.

Moi je suis impotent. Je n'ai pas la force, encore moins la mobilité. Je n'ai même pas le courage de communiquer, d'interagir, de converser. Ni l'envie. Je préfère ruminer mon infortune en silence. Au début, Matthias ne comprenait pas pourquoi je me taisais ainsi. Puis, avec le temps, je crois qu'il s'y est habitué.

Depuis mon accident, j'ai du mal à retracer le cours des événements. Avec la douleur, la fièvre et la fatigue, j'ai l'impression que la durée habituelle des jours et des semaines a été chamboulée par l'impatience de la neige. Tout s'est passé très vite, il me semble. L'accident, les vigiles, l'opération, et je me suis retrouvé ici, avec Matthias. Je sais bien qu'il n'a jamais voulu de moi. Que ma présence le gêne, le dérange. Que ses plans ont été bousculés. Depuis la panne d'électricité, rien ne se passe comme il l'avait anticipé.

Quand ils m'ont trouvé sous la voiture renversée, les vigiles ont bien vu que j'étais fichu. Il n'y avait rien à faire. Mes jambes avaient été broyées lors de l'impact. J'avais perdu beaucoup de sang. Par chance, en éclairant mon visage, quelqu'un a cru me reconnaître. Et il a convaincu les autres de me ramener au village.

Il pleuvait. Des trombes d'eau s'abattaient sur la forêt. Je me souviens, ceux qui me portaient avançaient difficilement, à cause de la boue. Il n'y avait pas de médecin au village. Mais une vétérinaire et un pharmacien. Depuis la panne, c'est eux qui soignaient les blessés et les malades. C'est eux aussi qui s'occupaient des cas graves, quand il n'y avait plus rien à espérer.

J'étais alité dans une petite pièce sombre. On avait emmailloté mes jambes dans d'épais pansements et menotté mes poignets à la structure du lit. Un peu de lumière s'infiltrait entre les planches de la fenêtre placardée. Chaque fois que je levais la tête pour voir où j'étais, une douleur fulgurante traversait mon corps.

On venait à mon chevet régulièrement. Pour m'apporter de la nourriture. Pour me donner des cachets. Pour me poser des questions. Mon nom ? Mon trajet ? L'accident ? J'avais mal, très mal, et le monde se résumait à quelques silhouettes penchées sur moi comme au-dessus d'un puits sans fond. On insistait pour que je réponde aux mêmes questions, encore et encore. J'avais beau hurler et me débattre, on aurait dit que personne ne comprenait ce que je racontais. On se demandait sûrement s'il fallait abréger mes souffrances ou tenter de me soigner.

Quand on me laissait enfin seul, je tendais l'oreille pour comprendre ce qui se passait dans la pièce adjacente. Des gens entraient et sortaient. Parfois le ton montait et j'arrivais à décoder les conversations. Parfois on chuchotait et rien n'était vraiment audible.

L'accident a été violent. J'étais confus. Je rêvais de ma voiture. Je cherchais mon père. Mes souvenirs se chevauchaient. Je revoyais sans cesse la scène. Des jours et des nuits de route. La panne d'électricité, les stations-services dévalisées, les milices au bord des routes, la panique dans les villes. Et soudain, à quelques kilomètres du village, dans la lumière fatiguée des phares, deux bras levés vers le ciel. Les pneus qui crissent sur la chaussée. Un coup de volant. Un impact sourd. Le sang. Les fissures dans le pare-brise. Les tonneaux. Mon corps éjecté de l'habitacle. Puis le poids de la voiture renversée sur mes jambes.

Ça faisait plus de dix ans que j'avais quitté ce village. Plus de dix ans que je n'avais pas donné de nouvelles, ou presque. J'avais enterré le passé et je pensais ne jamais remettre les pieds ici.

Mais le vigile n'avait aucun doute à mon sujet et il insistait pour qu'on me soigne. Sa voix résonnait clairement de l'autre côté du mur.

Ça suffit. On ne peut pas le laisser mourir comme ça. Vous ne le reconnaissez pas ? C'est le fils du mécanicien. Ça faisait longtemps qu'il n'était pas revenu ici. Il est en état de choc, donnez-lui une chance. Son père vient de mourir, mais il a encore de la famille au village. Ses oncles et ses tantes habitent à l'entrée du chemin de la mine. Je vais aller les chercher.

Mes oncles et mes tantes sont venus. Au début je croyais voir des fantômes, puis j'ai entendu leurs voix et les larmes me sont montées aux yeux.

Oui, ont confirmé mes oncles frappés par mon état lamentable, c'est bien lui. Pendant ce temps, mes tantes me prenaient les mains en cherchant à comprendre ce qui m'était arrivé. J'étais tellement heureux de les voir que je n'arrivais pas à prononcer quoi que ce soit.

Les menottes, retirez-lui les menottes, ont-elles exigé. Tout de suite.

On leur a expliqué que j'étais agité depuis que j'avais appris la mort de mon père et qu'il ne fallait pas que j'aggrave mes blessures. Mes oncles et mes tantes sont allés dans la pièce à côté. Ils ont parlé de ma situation, je le sais, mais je n'entendais pas très bien ce qu'ils disaient. Ça semblait sérieux.

Un peu plus tard, la vétérinaire et le pharmacien sont entrés dans la chambre. Ils se sont installés près de mon lit. Après avoir allumé sa lampe frontale, la vétérinaire a découpé les bandages qui ceignaient mes jambes. Je l'observais du coin de l'œil, car son visage me disait quelque chose. Ses traits se sont creusés quand elle a constaté la gravité de mes blessures. Elle s'est retournée vers le pharmacien. Celui-ci a hoché la tête. En mettant un masque et des gants, la vétérinaire m'a jeté un regard et j'ai compris qu'elle m'avait reconnu à son tour. Lorsque le pharmacien a posé une éponge sur ma bouche et mon nez, elle m'a dit de compter jusqu'à dix. Sa voix. Oui, sa voix me rappelait quelque chose. Oui, sa voix me revenait en tête, mais je n'arrivais pas à me souvenir de son nom. Les faisceaux de sa lampe balayaient la pièce. Puis, tout est devenu noir.

Quand je suis revenu à moi, je ne savais pas où je me trouvais. Par chance, mes tantes étaient à mon chevet. Je les entendais qui discutaient à voix basse. J'ai soulevé la tête et j'ai vu que mes jambes étaient immobilisées dans d'imposantes attelles en bois. Dès qu'elles m'ont aperçu qui remuais, elles se sont précipitées vers moi.

Ne t'en fais pas. L'opération s'est bien passée. Ça va aller. Tu vas t'en sortir. Tiens, bois un peu. Repose-toi. Il faut que tu reprennes des forces. Oui, repose-toi.

Quelques instants plus tard, j'étais épuisé et je suis retombé dans des cauchemars de poursuite, de bête affamée et de labyrinthe.

Le lendemain ou le surlendemain, je ne sais plus, le vigile est revenu me voir. Il a retiré mes menottes, enfin. Il avait apporté de l'eau, un bout de pain et du thon en conserve. Il en a profité lui aussi pour me poser ses questions. Quand il a vu que je ne lui répondais pas, il s'est tu pendant un instant, puis il a changé de stratégie.

Même si l'électricité finit par revenir, plus rien ne sera jamais pareil. Tu sais, tout ce qui est arrivé depuis la panne a défiguré la vie d'avant. Ici, on s'en sort peut-être un peu mieux qu'en ville, mais ce n'est pas évident. Au départ, tout le monde s'entraidait, mais ensuite certains ont paniqué, plusieurs ont déserté le village et d'autres ont tenté de profiter de la situation. Maintenant, on a rétabli le calme. On distribue de la nourriture et on fait des rondes de surveillance. Mais, tu sais, il faut rester vigilant. Tout peut basculer au moindre incident.

Le vigile a été interrompu par l'arrivée de la vétérinaire et du pharmacien.

Comment va-t-il ?

Pas trop mal.

La vétérinaire a ausculté mes jambes tandis que le pharmacien m'a fait avaler un cocktail de pilules.

Il n'a pas de fièvre, a dit la vétérinaire en prenant ma température.

C'est grâce à ce que je lui donne, est intervenu le pharmacien, rien d'autre.

La vétérinaire s'est approchée de moi pour me dire que mes os étaient fracturés à plusieurs endroits. Qu'elle avait effectué plusieurs interventions de la sorte dans le passé, mais seulement sur des vaches, des chevaux et des chiens.

Je l'ai regardée en souriant.

Elle a passé sa main dans mes cheveux.

Tu vas t'en tirer.

Puis, avec le vigile, ils sont passés dans la pièce adjacente. J'entendais la voix du pharmacien à travers la cloison.

Il a survécu à l'accident, il a bien réagi à l'opération, mais ses plaies vont finir par s'infecter. C'est inévitable. Il aura besoin de beaucoup d'antibiotiques, d'analgésiques et nos réserves sont limitées.

Ils se sont demandé qui allait me prendre en charge. Mes oncles et mes tantes sans doute. Avec la panne, tout le monde était débordé. Il y avait tant à faire. Qui d'autre aurait le temps de s'occuper d'un grand blessé ? De le soigner, de le nourrir, de le laver ?

Ils ont baissé le ton et j'ai perdu le fil de la conversation.

Quelques jours plus tard, mes jambes étaient boursouflées et mes plaies étaient si sensibles que j'arrivais à peine à respirer. J'étais transi et en sueur. Il fallait m'aider pour tout. On se relayait à mon chevet. Et on se bouchait les oreilles pour ne plus entendre mes lamentations fiévreuses.

Deux fois par jour, la vétérinaire venait me faire des injections. Cela me permettait d'avoir quelques heures de répit, avant que la douleur ne revienne et voile mon regard.

Je le savais, soupirait le pharmacien, je le savais qu'on finirait par lui donner tous nos médicaments.

Avec les cachets et les injections, je parvenais à trouver le sommeil. Mais, quand j'ouvrais les yeux, je ne savais pas si j'avais dormi quelques minutes, quelques heures ou plusieurs jours. La plupart du temps, je rêvais qu'on me tenait au sol et que quelqu'un me coupait les jambes. À coups de hache. Et ce n'était pas un cauchemar. Je me sentais soudain libéré.

Mes oncles et mes tantes venaient me visiter fréquemment. Même si tout autour de moi n'était plus qu'un théâtre d'ombres, je les entendais parler, raconter des histoires et faire quelques blagues. Puis, un jour, ils m'ont expliqué qu'ils ne pouvaient pas m'attendre. C'était le temps de la chasse. Plusieurs familles étaient déjà dans le bois. L'électricité ne revenait pas et il fallait assurer les réserves de nourriture avant l'hiver.

On s'en va au camp de chasse, m'ont-ils annoncé, on sera de retour dans quelques semaines, avec de la viande, beaucoup de viande. On aurait voulu que tu viennes avec nous, mais c'est impossible. En attendant, ne t'en fais pas, tu es entre de bonnes mains. On nous a promis qu'on prendrait soin de toi. De ton côté, il faut que tu te concentres sur ta rémission.

Ils m'ont salué à tour de rôle et ils sont partis. J'aurais voulu les retenir.

Plus tard, un petit groupe est entré dans ma chambre. Le vigile, la vétérinaire et le pharmacien en faisaient partie. Quelqu'un a pris la parole en disant qu'il était hors de question que je reste ici, dans cette maison. Autour de moi, je sentais que les regards longeaient les murs, glissaient par terre et disparaissaient dans les rainures du plancher. Personne ne voulait d'un fardeau supplémentaire. On aurait peut-être dû m'abandonner à mon sort, coincé sous ma voiture. La vétérinaire a brisé le silence en proposant de me prendre en charge jusqu'au retour de ma famille. Le pharmacien l'a rabrouée aussitôt.

C'est ridicule, on ne peut pas le prendre chez nous. On a fait ce qu'on pouvait. On doit s'occuper des autres malades.

Le vigile s'est avancé comme s'il avait voulu suggérer quelque chose. Mais il n'a rien dit.

Je peux régler son cas, a repris le pharmacien, ça va enlever un poids à tout le monde. Vous voyez bien qu'il souffre le martyre.

La vétérinaire fixait le vigile qui était resté au milieu de la pièce. C'est à ce moment, je crois, qu'il a mentionné le vieux qui s'était installé dans la maison en haut de la côte.

Vous savez, le vieil homme qui est arrivé ici au début de l'été. Il avait des ennuis avec sa voiture, il cherchait un mécanicien. Puis, il y a eu la panne et il n'a jamais pu repartir. Il s'est installé dans la maison en haut de la côte. On le voit de temps en temps, quand il descend au village. Vous savez, quand on l'interroge, il répète sans cesse qu'il doit retourner en ville, que sa voisine viendra le chercher d'un jour à l'autre. Pourtant elle n'est jamais venue. Au fond, personne ne croit vraiment ce qu'il raconte, mais tout le monde sait qu'il accepte volontiers les rations qu'on lui donne. Je l'ai croisé, l'autre jour, près de l'église. Nous avons discuté un peu. Il est âgé, c'est sûr. Mais il a l'air en forme, vous savez. Et beaucoup plus lucide qu'on veut bien le croire.

Lui ? s'est étonné le pharmacien. Il a tenté de voler une camionnette il y a quelque temps. Je l'ai surpris alors qu'il forçait la portière. Il n'a fait semblant de rien, comme toujours. C'est un vieux retors. Mais pourquoi pas ? On pourrait lui confier notre blessé.

Quarante-cinq

Ce matin, comme chaque matin, Matthias fait ses exercices. Avec une concentration de sorcier, il effectue une série de postures étranges, de longs étirements, de contractions brusques. Parfois aussi, il garde la même position pendant plusieurs minutes. Son immobilité est puissante, souterraine. Mais, généralement, il enchaîne les mouvements en inspirant profondément. Il se penche, se relève, se contorsionne. Ses gestes sont amples et souples. Lorsqu'il expire, on entend distinctement la force de son diaphragme. On dirait qu'il lutte, dans une lenteur extrême, contre un inconnu, un ours, un monstre. Puis, de manière imprévisible, il arrête tout, se redresse avec un air victorieux et commence sa journée.

Il fait clair depuis un moment, mais le soleil se hisse à peine au-dessus de la forêt. Ici et là des rayons percent le treillis des arbres. Je prends ma longue-vue et scrute les alentours. Il n'y a aucune trace dans la neige, à part les pas lourds de Matthias et les bonds furtifs des écureuils. Les autres animaux sont repartis très loin dans les bois. Ils peuvent ainsi s'appliquer à survivre, à l'abri des regards.

Matthias prépare du café. Comme il n'y en a plus beaucoup, il mélange deux cuillerées de marc avec une cuillerée de café frais.

C'est ce qu'il faisait quand on est venu me porter ici. Je me souviens étrangement bien de l'odeur qui régnait dans la pièce. Lorsqu'il a ouvert la porte, la vétérinaire se tenait devant Matthias, sous la pluie. Derrière elle, le vigile et le pharmacien me transportaient dans un brancard. Il a invité tout le monde à entrer et il a offert du café.

La fièvre et les antibiotiques m'avaient plongé dans un état léthargique qui n'appartenait pas au sommeil. J'étais dans une sorte d'éveil passif, à mi-chemin entre le coma et le rêve lucide. Je ne bougeais pas, je ne parlais pas, mais j'entendais tout.

Qui est-ce ? a d'abord demandé Matthias en se penchant au-dessus de moi.

C'est le fils du mécanicien, a répondu la vétérinaire, il a eu un accident de voiture.

Le vigile a inspecté la pièce. Il y avait un poêle à bois, une chaise à bascule, une table, un divan. Un lit à une place avait aussi été placé près de la fenêtre.

Vous êtes bien installé, a-t-il remarqué.

La maison était abandonnée quand je suis arrivé. J'ai aménagé cette pièce, en attendant.

En attendant quoi ?

Matthias a hésité un instant.

En attendant ma voisine, a-t-il fini par dire. Elle tarde, mais elle va venir me chercher. C'est certain. Elle sait que je dois retourner en ville. Elle comprend.

Le vigile s'est frotté le menton.

Ça fait longtemps que vous dites ça, non ? Pourquoi voulez-vous tant retourner en ville ? En temps normal, c'est à plus de huit heures de route et, vous savez, avec la panne, on ne se déplace plus comme on veut. Il y a des barrages routiers partout, des milices, des voyous. En ville, il paraît que c'est le chaos, il y a des accidents à chaque intersection, les magasins se font piller, les gens fuient. Peut-être que votre voisine a eu un contretemps, a conclu le vigile en pesant ses mots.

Elle viendra, a affirmé Matthias, elle viendra.

Et si elle ne vient pas ? Que comptez-vous faire ? Voler une camionnette ?

Matthias gardait les yeux rivés au fond de sa tasse de café.

Il n'y a plus d'essence nulle part, vous savez.

Je dois retourner en ville, a réitéré Matthias.

Par la suite, je crois qu'ils sont restés un moment sans rien dire, comme si la discussion tirait à sa fin. Puis, le vigile a repris la parole.

On a de la chance ici, notre village est à l'abri au milieu de la forêt. La panne complique les choses, mais, au moins, tout est sous contrôle. On surveille l'entrée du village, on consolide nos réserves, on s'entraide.

Matthias ne réagissait pas, il attendait la suite.

Vous savez, certains parlent de faire une expédition si la panne persiste. Il faut bien entrer en contact avec le reste du monde. Ils iraient dans les villages sur la côte, puis en ville. Plusieurs personnes veulent retrouver les membres de leur famille qui sont là-bas. C'est normal, vous savez, quand on est sans nouvelles de nos proches depuis longtemps.

Le vigile a marqué une pause en jetant un coup d'œil dans ma direction. À ce moment, je me souviens, la brume des médicaments m'obligeait à me concentrer pour suivre ce qui se passait autour de moi.

J'ai une proposition à vous faire, a continué le vigile, vous prenez soin de lui et on vous garde une place dans le convoi qui partira en ville. D'ici là, vous aurez droit à deux parts de ration. Ça vous permettra de tenir le coup. Et vous n'aurez plus à descendre au village, je viendrai vous les porter.

Matthias regardait par la fenêtre.

Je dois retourner en ville avant l'hiver.

Je comprends, a soutenu le vigile, mais ça prend du temps, organiser une expédition comme ça. Il faut trouver l'essence, la nourriture, l'équipement. Il faut penser à la sécurité, bien prévoir l'itinéraire. Et personne ne veut se faire surprendre par l'hiver, vous savez, surtout si aucun chasse-neige n'ouvre les routes.

Alors, le départ est prévu pour quand ?

Pour ce printemps.

Ce printemps ? s'est découragé Matthias.

Oui, ce printemps. Dès que les chemins seront praticables.

C'est trop tard, s'est plaint Matthias, comment je vais faire ?

Vous allez patienter et vous allez prendre soin de lui. Ça sera votre contribution. Puis, vous aurez votre place dans le convoi.

Il est mal en point, a grommelé Matthias en observant mes attelles.

Oui, mais il va s'en sortir.

Vous croyez ? a relancé Matthias en haussant les sourcils.

La vétérinaire voulait intervenir, mais le pharmacien lui a fait signe d'attendre. Matthias faisait des allers-retours dans la pièce.

Et pour le bois de chauffage ?

Je m'en occupe, a assuré le vigile, je vous apporterai tout ce qu'il faut.

Matthias réfléchissait.

Je viendrai faire un tour chaque semaine, a fini par dire la vétérinaire, pour vous donner un coup de main et voir comment il se rétablit.

Matthias a hoché la tête.

Installez-le là-bas, a-t-il dit du bout des lèvres, en désignant le lit près de la fenêtre. Je dormirai sur le divan.

Le vigile et le pharmacien se sont aussitôt exécutés.

Venez, a suggéré la vétérinaire, je vais changer ses pansements avec vous, comme ça vous saurez comment vous y prendre.

Le pharmacien a sorti un rouleau de gaze, la trousse de premiers soins et les boîtes de comprimés. Pendant ce temps, le vigile s'est assis sur le tabouret de l'entrée et s'est allumé une cigarette.

Il ne parle pas ? a demandé Matthias.

Pas vraiment, a répondu le vigile, vous savez, avec l'accident et les médicaments, c'est normal. Et j'imagine que la mort de son père l'a passablement secoué. Enfin, je crois. Laissez-lui un peu de temps.

Quand la vétérinaire a compris que Matthias avait bien assimilé ses consignes, ils ont refermé mes attelles et jeté les pansements souillés dans la gueule du poêle.

Si jamais il n'y a plus d'onguent, a-t-elle ajouté, vous pouvez mettre du sucre sur ses blessures. Ça va résorber l'infection. Mais, surtout, n'oubliez pas de lui donner les antibiotiques.

Il y a aussi des cachets pour la douleur, a spécifié le pharmacien, ça devrait le faire taire s'il se lamente trop.

Le vigile a remercié Matthias, puis il a invité ses deux camarades à sortir. Alors qu'il franchissait le seuil à son tour, Matthias lui a mis la main sur l'épaule.

Et si jamais il ne s'en tire pas ?

Vous venez nous chercher au plus vite. Mais, n'oubliez pas, vous avez sa vie entre vos mains.

Je vais faire ce que je peux, a bredouillé Matthias, dérouté.

Tout va bien se passer, ne vous en faites pas, je vais revenir dans quelques jours, avec le bois et les vivres.

Et votre nom ? a demandé Matthias, quel est votre nom déjà ?

Joseph. Elle, c'est Maria, et l'autre, c'est son mari, José, a-t-il déclaré en montrant la vétérinaire et le pharmacien.

Lorsque Joseph est parti, Matthias est resté longuement dans le cadre de porte.

Maria, oui, c'est ça, elle s'appelle Maria, ai-je songé avant de m'enfoncer de nouveau dans le brouillard.

Quarante-cinq

Je suis seul dans la pièce. Matthias est parti faire un tour de raquette. Je tire sur la vieille courtepointe qui couvre mes pieds. Au bout du lit, à des kilomètres, mes orteils sont violacés, mais ils remuent. Avec les attelles, c'est tout ce que j'arrive à bouger.

La douleur me tenaille toujours, mais, au moins, les épisodes de fièvre sont passés. Je ne m'éveille plus en sursaut, le souffle court, en cherchant mes repères. Désormais, je reconnais cette pièce, la fenêtre à côté de mon lit et le visage de Matthias. Lorsque j'ouvre les yeux, je sais où je me trouve, qui je suis et ce qui m'attend.

Peu de temps après mon arrivée ici, ma température a monté et je me suis mis à claquer des dents. Matthias veillait à mon chevet. Il refaisait mes pansements et changeait mes draps imbibés de sueur. Il épongeait mon visage, mon cou et appliquait des compresses d'eau froide sur mon corps. Il me parlait aussi. Je ne sais plus ce qu'il disait, mais il me racontait des tas de choses, des histoires, des aventures, on aurait dit l'odyssée d'un homme pourchassé par un dieu furieux alors qu'il veut retourner chez lui après vingt ans d'absence. Le matin, il interrompait son récit et allait faire un somme sur le divan. Lorsqu'il se relevait, un peu plus tard, il me redressait la tête, me donnait à boire et me faisait avaler des comprimés. Il y en avait de toutes les couleurs. Durant le jour, je luttais contre un gouffre invisible. La nuit, je dormais les yeux ouverts. Comme les morts.

Le plus souvent, je rêvais que je courais. Que je courais à toute allure dans les méandres d'un labyrinthe. Partout où j'allais, il y avait un fil rouge sur le sol et une bête était à mes trousses. Je ne la voyais pas, mais elle était là, derrière. J'entendais distinctement les halètements de son souffle et le bruit de ses sabots. Elle me talonnait. Ses crocs fendaient l'air pour m'arracher les jambes. Et moi, je continuais à courir. Je rêvais sans regarder derrière.

Au sommet de la fièvre, je crois avoir perdu conscience, car je me souviens de m'être réveillé, haletant, dans les bras de Matthias. Nous étions dehors, sous la pluie battante. Mon corps était bouillant et l'eau froide m'aidait à reprendre mes esprits comme si j'avais été plongé dans un bain de glace. Lorsque je suis revenu à moi, Matthias a levé la tête vers le ciel comme s'il venait d'être sauvé lui aussi. La pluie ruisselait sur son visage et ses cheveux collaient sur son front. Ensuite, il m'a soulevé et m'a porté jusqu'à l'intérieur. Péniblement. Car nous étions trempés et j'arrivais à peine à m'agripper à son cou. Quand il m'a déposé sur le lit, j'étais si faible que j'avais l'impression de m'enfoncer dans les couvertures. Matthias, lui, s'est appuyé sur ses genoux pour reprendre son souffle.

Durant les jours qui ont suivi, ma fièvre a fini par diminuer et mon état s'est stabilisé. À ce moment, je ne ressentais rien, à part une légère sensation de picotement. Puis, une douleur vive, acérée, s'est emparée de moi. Comme des milliers de clous qui me perçaient la peau de l'intérieur, qui traversaient ma colonne vertébrale, se plantaient dans mes paumes, dans mes pieds, et me rivaient à mon lit. Une douleur noire et glacée qui me faisait craindre de ne jamais marcher de nouveau.

Les analgésiques que Matthias me faisait prendre réduisaient ma souffrance, mais leur effet ne durait que quelques heures. Alors, de temps à autre, il massait mes jambes. Il s'assoyait sur mon lit, retirait la gaze imbibée, nettoyait mes plaies et frictionnait mes cuisses, mes mollets, mes pieds. Je n'aimais pas qu'il me pétrisse ainsi comme du pain noir. Mais il faisait très attention à mes blessures. D'une séance à l'autre, l'enflure se résorbait et j'avais moins froid.

Mes orteils remuent toujours à l'autre bout de mon corps. Je crois que mes os se ressoudent peu à peu, que mes plaies se referment et que la pénicilline fait son travail. Par contre, la douleur est tenace, constante, infatigable. D'un geste, je découvre mes jambes. Mes attelles ont été improvisées avec des lattes de bois sur lesquelles des ceintures ont été clouées en guise de courroies. Sur une des lattes, on voit des traits de scie. Sur une autre, la marque d'une charnière retirée à coups de marteau. On dirait que je suis un monstre d'éclisses de bois, de boulons et de chair rapiécée. Mais c'est mieux que rien.

Les hôpitaux sont loin. Dans l'espace comme dans le temps.

Quarante-sept

C'est la fin de l'après-midi. Lorsqu'il est revenu de sa promenade, Matthias a ranimé le feu, puis il est allé chercher un livre de l'autre côté. Matthias lit beaucoup et, comme je ne manifeste aucun intérêt pour les bouquins qu'il laisse près de mon lit, il me raconte quelques histoires. Comme ces deux vagabonds qui discutaient au pied d'un arbre en attendant quelqu'un qui n'arrive jamais.

Chaque fois qu'il traverse de l'autre côté, un courant d'air se glisse par la porte entrebâillée. Chaque fois, cette bouffée d'air froid me sort de ma torpeur et j'étire le cou pour observer l'intérieur de cette maison immense et sans vie. Mais je ne vois rien d'autre qu'un couloir obscur avec une lumière au bout.

Nous vivons dans l'annexe d'une grande demeure, dans une cuisine d'été. Une véranda avec un poêle et une grande fenêtre orientée au sud. Quand le ciel est dégagé, la lumière plombe et réchauffe la pièce. Par contre, dès que le soleil se laisse choir derrière l'horizon, il faut mettre du bois dans le poêle. Bien qu'elle montre des traces de fatigue, dont quelques cernes causés par les infiltrations, cette pièce donne l'impression d'avoir été aménagée avec soin. Les moulures sont ornées de rosettes. Le plancher est en bois. Sur les murs, on devine même les endroits où des cadres avaient été accrochés.

Au centre de la véranda, il y a une trappe. Elle donne sur le vide sanitaire. Matthias s'en sert comme d'un garde-manger. Il y entrepose la viande, les légumes et tout ce qu'il faut garder au frais ou protéger du gel.

Le plafond est traversé par de larges poutres en bois qui suivent une faible inclinaison. L'été, j'imagine que la pluie doit résonner sur la tôle du toit en un roulement de tambour qui rappelle l'habitacle des voitures, l'apesanteur des longs trajets. Mais, pour l'instant, la neige s'accumule sans bruit. Quand on tend l'oreille, on n'entend que les poutres qui craquent au-dessus de nos têtes.

Matthias apparaît dans le cadre de porte. On dirait un explorateur à la proue d'un navire.

Devine ce que je viens de trouver, demande-t-il avec entrain.

Pendant un instant, la porte reste ouverte derrière lui. Le couloir s'enfonce dans la pénombre et semble déboucher sur une salle spacieuse. J'imagine que c'est une demeure avec de hauts plafonds, de vastes pièces et de nombreux passages. Une espèce de labyrinthe où certaines chambres communiquent alors que d'autres n'ont pas d'issue. Un large escalier doit mener à l'étage, il doit aussi y avoir un lustre au-dessus de la table à manger, d'imposantes bibliothèques et un foyer en pierre dans le salon. Une chose est certaine, c'est une maison trop grande pour nous. Une maison impossible à chauffer sans épuiser nos réserves de bois en quelques semaines. Puis, mourir de froid après en avoir brûlé tous les meubles.

Alors, tu as une idée ? insiste Matthias.

Il me fixe en espérant une réponse qui ne vient pas.

C'est un jeu d'échecs, dit-il en soupirant, je pensais te faire plaisir.

D'un coup de hanche, il referme la porte. Les dédales de l'autre côté disparaissent comme ils sont apparus et les murs de la véranda se resserrent sur nous.

Cinquante-six

Le vent s'est levé avec la tombée de la nuit. Les rafales secouent la véranda. Il neige. J'entends les flocons se précipiter contre la vitre comme des oiseaux bernés par les reflets.

De ce côté de la fenêtre obscure, je vois mon visage. Une large tache d'ombre, des yeux hagards, des cheveux gras, une barbe hirsute. Et, sous les couvertures, le relief plat de mon corps allongé, maigre, inutile.

Matthias est dans la chaise à bascule. Il répare les sangles de l'une de ses raquettes. La lampe à huile frétille. De la suie apparaît tranquillement sur le globe en verre. Il faudrait couper la mèche, mais Matthias ne réagit pas, il est absorbé par sa tâche.

Nous avons mangé. La vaisselle est propre, le balai est passé, le bois est cordé. Tout est en ordre. Je ne sais pas comment il fait. Les heures se confondent, les journées se répètent et Matthias, lui, s'active. Il n'arrête jamais. Jamais vraiment, sauf parfois pour lire. D'un crépuscule à l'autre, il besogne, il nettoie, il cuisine. Il s'affaire posément, sans se presser. Comme la neige qui tombe. Il a raison. Il faut bien vaquer à quelque chose. L'hiver rugit, la panne d'électricité nous ramène loin dans le temps, et le désœuvrement est le danger le plus menaçant.

Même si je n'arrive pas à accepter mon sort, je peux m'estimer chanceux d'avoir échoué ici. Je ne remarcherai peut-être jamais, j'ai perdu le goût de la parole, mais je ne suis pas mort. Pas encore du moins.

En raccommodant une courroie de cuir, Matthias m'observe d'un œil.

Tu sais, durant les grandes guerres, plusieurs conscrits ont refusé de rallier l'armée, lance-t-il. Certains se sont mariés en vitesse, d'autres, comme mon père, ont préféré se cacher dans les bois pour se faire oublier. Toutefois le recours aux forêts n'était pas un choix facile. Les hivers étaient encore plus rudes à l'époque. Et les chasseurs de primes scrutaient patiemment la périphérie des villages à la recherche du moindre signe de vie. Un coup de fusil, une colonne de fumée, un sentier inhabituel tracé dans la neige. La justice militaire récompensait largement la délation ou toute information qui permettait de repérer et de traquer les déserteurs. Mais, la plupart du temps, les communautés les soutenaient secrètement. On déposait des vivres à des endroits stratégiques. Les pauvres hommes venaient les récupérer la nuit, sans attirer l'attention, et retournaient dans les montagnes poursuivre leur survie acharnée. Même au plus creux de l'hiver, ils ne faisaient du feu qu'une fois l'obscurité tombée et encore, lors des nuits claires, il était plus prudent de ne pas raviver les braises de la veille. Au fond de leur refuge, ces jeunes hommes s'occupaient comme ils pouvaient et regardaient longuement la forêt se refermer sur eux. Ils reprisaient leurs vêtements, jouaient aux cartes et astiquaient leurs armes de chasse. Parfois la tension montait entre eux et, lorsqu'ils changeaient de tour de garde, ils jetaient un œil méfiant sur leurs confrères. Malgré cela, ils savaient qu'ils ne pouvaient pas se passer les uns des autres. Pour survivre, ils devaient affronter ensemble le froid, la faim et l'ennui. Ainsi, ils avaient très vite compris que la tâche la plus importante était sans contredit celle de raconter des histoires.

Il vente encore. Les bourrasques lézardent le récit de Matthias et font craquer les murs de la véranda.

Des résistants ou des déserteurs, ça revient au même, poursuit Matthias. Ils devaient tous passer l'hiver à l'abri, terrés au milieu de nulle part, et ménager leurs énergies en attendant le printemps. La libération du printemps. Avec un type comme toi, relance-t-il, ça n'aurait pas fonctionné. On aurait été découverts ou on se serait entretués. Personne ne peut survivre avec quelqu'un qui refuse de parler.

Cinquante-six

Je m'éveille. Le soleil est déjà haut et la neige est lustrée par le froid. Aveuglante. J'ai mal dormi cette nuit, mes jambes m'élançaient et la douleur me serrait les os.

À genoux devant la bassine en plastique, Matthias fait une lessive. Il frotte vigoureusement nos vêtements avec du savon et les étend sur la corde à linge au-dessus du poêle.

Matthias m'exaspère. Non seulement c'est un homme infatigable, mais il est aussi d'une agilité surprenante. Il se penche, se relève et pivote sur lui-même comme si son âge n'était qu'un déguisement. Quand quelque chose lui glisse des mains, il le rattrape souvent avant même que cela ne touche le sol. Ses gestes sont souples et énergiques. Lents parfois, mais toujours souples et énergiques.

Souvent, il besogne sans rien dire, il arrive aussi qu'il parle trop. Lorsqu'il change mes pansements, lorsqu'il attise le feu, lorsqu'il remue la soupe, lorsqu'il nettoie la vaisselle, il bavarde, il cause, il récite. Si je ne lui donne jamais la réplique, c'est peut-être parce qu'il passe son temps à réfléchir à voix haute.

Il a été élevé dans un monde enfoui sous les travaux et les jours, raconte-t-il souvent. Juste avant les grandes guerres. Toutes les rues de son village étaient en terre. Les maisons étaient peuplées d'enfants qui portaient les bottes percées de leurs aînés. Toute la vie tournait autour du labeur et de quelques prières.

C'était un autre temps, reprend-il cette fois, je me dérobais au tumulte familial pour aller voir le forgeron d'en face marteler le métal et parler aux chevaux. Quand je me concentre, j'arrive encore à entendre sa voix éraillée et sentir ces odeurs de corne brûlée, de feu, de fer. C'était le seul endroit qui me permettait de croire à autre chose. Comme si chaque bête nouvellement ferrée pouvait m'amener, quelque part, loin. Mes parents sont morts jeunes en emportant leur époque, j'ai repris la maison et le passé s'est tu peu à peu. Il n'y avait plus aucune flamme au cœur de la forge. Les journaux criaient l'avenir et de nouvelles promesses pressaient le pas. À quelques kilomètres, on voyait poindre la structure osseuse de la ville. Les rêves fusaient de toute part dans les panaches de fumée, on parlait d'éclairer les rues, de creuser des tunnels, de construire des édifices plus hauts que les clochers. Mes enfants sont nés, les champs ont été plombés sous le pavé, l'église a disparu derrière les tours d'habitation. La demeure familiale s'est fondue dans les méandres des intersections, des voies rapides et des panneaux publicitaires. Partout autour des grues s'acharnaient sur l'horizon, un lourd parfum de bitume pesait sur les toits, dans les rues on ouvrait et on refermait sans cesse le ventre de la ville. De mon balcon, j'entendais le chant des sirènes. Parfois je voyais les gyrophares passer en trombe, parfois pas. C'étaient des détresses lointaines, anonymes. Puis, les enfants sont partis et la maison est devenue très grande et très vide. Les pièces transpiraient les tours d'horloge. Nous étions seuls, ma femme et moi, à contempler les chantiers interminables, le front suintant des travailleurs et le grincement des pelles mécaniques qui se dépliaient comme des bêtes puissantes et dociles. Je me souviens de la poussière qui flottait dans les rayons du soleil. Quand les petits-enfants venaient à la maison, c'était la fête. Ma femme était scintillante de joie. Même après plus de cinquante ans de vie commune, je ne me suis jamais lassé de sa beauté, de ses charmes, de sa grâce. Mais le temps est retors. Et ma femme a commencé à s'accrocher un peu plus à ses repères. Sa mémoire flanchait et sa voix se perdait dans les détours de ses phrases. Elle observait un silence irrité, confus. Ses gestes sont devenus brusques. Son regard s'est inondé d'hésitation. Je ne savais plus qui de nous deux ne reconnaissait plus l'autre. Puis, un jour, elle est tombée dans la salle de bain. Et j'ai senti la fin très proche. Ç'a été le téléphone, l'attente et l'ambulance. On l'a emmenée à quelques coins de rue, dans un bâtiment fait d'ascenseurs et de couloirs. Je lui rendais visite tous les jours. Rapidement, ses pupilles ont pâli, et plus rien ne semblait l'importuner. Elle avait recommencé à sourire et ne manifestait aucune intention de revenir de son île enchantée. Tous les jours, elle savait que je serais là, auprès d'elle. Tous les jours. Avec l'âge et la fatigue, la chronologie des choses s'embrouille. Et on se méfie davantage de nos souvenirs que de l'oubli. J'avais besoin d'une pause. J'avais besoin d'air. Alors je suis parti pour une semaine, avec ma vieille voiture. Rouler et voir du pays. Voir du pays et rouler. Faire une grande boucle, puis retourner auprès de ma femme, la tête reposée. Après quelques jours, je suis tombé en panne en pleine forêt. J'ai marché jusqu'ici pour trouver un mécanicien. Puis, l'électricité a été coupée. Au début, j'ai cru que ma voisine viendrait me chercher. C'est ce qu'elle m'a dit lorsque je lui ai parlé au téléphone. D'accord, je prends la route ce soir, je serai là demain. Après quelques jours, elle n'était toujours pas arrivée. Et les lignes téléphoniques ne fonctionnaient plus. Je l'ai attendue encore pendant un moment. Je ne comprends pas, c'est pourtant une femme digne de confiance. Désespéré, j'ai voulu voler une camionnette, mais je ne savais pas comment m'y prendre. De toute façon, tous les réservoirs ont été siphonnés et les gens conservent jalousement leurs réserves d'essence. Il n'y avait pas d'issue. Alors je me suis installé ici. Et, un soir, le piège s'est refermé. On m'a amené un jeune homme estropié et fiévreux. C'était toi.

Matthias est toujours agenouillé devant la bassine, entre un tas de vêtements et un seau d'eau. Au-dessus de lui sur la corde à linge, les pantalons, les chemises, les chaussettes et les sous-vêtements ressemblent à des haillons soigneusement disposés.

Ma femme m'attend, explique-t-il en s'arrêtant de frotter, elle attend ma visite. Tous les jours, elle attend ma visite. Je le lui ai promis. Je dois retourner en ville. Je dois retourner auprès d'elle. Je ne peux pas faire autrement. Je le lui ai promis. Je lui ai promis de ne jamais l'abandonner. De mourir avec elle.

La voix de Matthias est chevrotante. J'ai l'impression qu'il va éclater en sanglots.

Regarde, dit-il en sortant une photo de sa poche, c'est elle.

Ne sachant trop comment réagir, je saisis ma longue-vue et scrute le paysage immobile. L'échelle à neige indique encore la même chose que la veille.

Cinquante-six

Aujourd'hui, le temps s'est couvert et les arbres se sont resserrés les uns sur les autres. Le baromètre pointe vers le bas. Une tempête, peut-être. Difficile à dire, quand le ciel s'assombrit on imagine toujours qu'une tempête se prépare. Pendant ce temps, les mésanges piaillent sous les arbres. Lorsqu'un geai fait son apparition, elles s'enfuient précipitamment. Dès qu'il repart, elles reviennent l'une après l'autre.

Matthias m'apporte un bol de soupe, une galette de pain noir et quelques comprimés. Il s'installe à la table, se recueille un instant pendant que je prends une première bouchée. Après le repas, il fait le compte des vivres et reste devant la trappe du garde-manger pendant de longues minutes. Ensuite, il m'installe dans le divan pour changer mes draps. Il me prend en me tenant par les aisselles. Pendant qu'il me tient dans ses bras, mes jambes se balancent d'un côté et de l'autre, comme celles des pantins.

Sur le divan, j'observe la silhouette de Matthias à contre-jour devant la fenêtre. Quand il lève les bras, les draps se gonflent dans les airs et retombent tranquillement. On dirait un parachute de secours. Je l'entends aussi qui rumine, qui grommelle, qui grince. Je crois qu'il s'adresse à moi, mais il articule à peine et j'ai l'impression que ses mots restent pris entre ses dents. Étrangement, à mesure que mes paupières s'affaissent sous l'effet des médicaments, on dirait que sa voix se précise. Comme s'il me parlait dans mon sommeil et que ses phrases se mêlaient à mes rêves. Comme s'il tentait d'entrer dans ma tête. Ou de me jeter un sort.

Avant la neige, tu ne voulais rien avaler et voilà que tu manges comme un goinfre. Comme un porc. Souvent, j'ai eu peur que la fièvre t'emporte. Mais tu t'en es sorti chaque fois. Tu es mon obstacle, mon contretemps. Et mon billet de retour. Tu as beau rester de glace, je sais que tu t'accroches désespérément à mes phrases. Tu supportes peut-être bien la douleur, mais tu crains la suite. Alors je te raconte des choses. N'importe quoi. Quelques éclats de souvenirs, de fantômes, de mensonges. Chaque fois ton visage s'éclaircit. Pas beaucoup, mais un peu. Le soir, je te parle aussi de mes lectures. Longuement parfois, jusqu'à ce que l'aube chasse la nuit. Comme ce livre que je viens de terminer, où toutes les histoires s'enchâssent et se prolongent mille et une fois d'une nuit à l'autre. Je viens d'un autre monde, d'un autre temps, tu le sais, ça se voit. Plus d'une génération nous sépare et tout porte à croire que c'est toi le vieillard bourru, obstiné. Nous vivons tous les deux dans les ruines, seulement la parole ne me paralyse pas comme toi. C'est mon travail de survie, ma mécanique, mon désespoir lumineux. Tu cherches peut-être à te mesurer à moi ? Tu veux peut-être une course d'épaves ? Pourtant tu n'es pas de taille. Reste silencieux. Tais-toi davantage si tu le peux, ça m'est égal. Tu es à ma merci. Il suffirait que je joue ton jeu, que je ne dise plus rien, puis tu disparaîtrais peu à peu dans les plis des couvertures. Tu voudrais que le temps passe, mais le temps t'effraie. Tu voudrais te soigner seul, mais tu n'y parviendrais pas. Tu es cloué là. Tu chemines dans les profondeurs. Même les gestes les plus simples te sont impossibles. Tu craches sur ton destin. Tu ne peux pas te faire à l'idée que ton corps dans la fleur de l'âge est rompu, broyé. Tu te méfies, je sais, par contre tu as appris à accepter les soins que je te donne. Tu me jalouses aussi. Parce que je suis debout. Regarde par toi-même si tu m'entends, je tiens sur mes jambes. Regarde, j'ai plus de deux fois ton âge et je tiens.

Matthias marque une pause. Je l'entends qui se retourne et s'avance vers moi.

Depuis la neige, les relents de fièvre te font lâcher quelques gémissements, des murmures, des lambeaux de phrases. Ce n'est pas une conversation, mais je prends ce que tu me donnes. À mon âge, les tricheries ne me tourmentent plus. L'imagination, c'est une forme de courage. Regarde, regarde encore, regarde mieux, il neige sans qu'on s'en aperçoive et le temps passe. Bientôt, je dis bientôt pour ne pas dire plus tard, bien plus tard, tu parviendras à te lever, tu t'agripperas à moi pour mettre un pied devant l'autre et tu iras seul du lit au divan. Du divan à la chaise. Puis de la chaise au bord du poêle. Tu fixeras la porte un peu plus chaque jour. Tu pèseras tes mots sans les prononcer. Tu calculeras l'épaisseur de l'hiver en maudissant la féerie des tempêtes. Tu mesureras l'état de tes blessures, l'ampleur de notre solitude, la paresse du printemps et nos réserves de nourriture. Tu m'écouteras parler sans que je le sache et tu ne comprendras pas comment tu auras échappé à la mort. Bientôt, je dis bientôt pour ne pas dire maintenant, déjà, je n'aurai plus la force de me battre pour deux. Je ne pourrai plus me dissimuler derrière la lenteur de mes gestes ou quelques espoirs construits de toutes pièces. Mais je ferai semblant. Et je continuerai de croire à ta guérison, aux journées qui rallongent et à la neige qui fond. Je ranimerai encore et encore les étincelles du forgeron, les avancées de la ville et le rire de ma femme. Je te raconterai bien d'autres choses, j'en inventerai s'il le faut. On n'a pas le choix, c'est la seule façon d'affronter ce qui nous attend. Ne t'inquiète pas. Je resterai là, je prendrai soin de toi. Tout ira bien. Ne t'inquiète pas, je ferai semblant. Il n'y a pas dix mille façons de survivre.

2

Dédale

Soit on attend que les jours et les nuits aient raison de nous. Soit on se fabrique des ailes et on s'évade par les airs. Il suffit qu'on fixe des plumes à nos bras, avec de la cire. Pour décoller, il ne nous restera qu'à prendre notre élan. Après ça, plus rien ne pourra nous retenir. Mais avant de partir écoute-moi bien. Si tu voles trop bas, l'humidité plombera ton plumage et tu t'écraseras au sol. Si tu voles trop haut, la chaleur du soleil désintégrera tes ailes et tu sombreras dans le vide.

Soixante-deux

Depuis hier, il n'y a pas un brin de vent et il tombe de gros flocons lourds. Les cristaux poursuivent leurs chutes serrées, parallèles. On voit à peine l'échelle à neige. Les traces laissées par Matthias durant les derniers jours ont été entièrement recouvertes. Tout baigne dans un silence cotonneux. On entend seulement les flammes se frotter aux parois du poêle et Matthias qui roule de la pâte à tarte sur le comptoir.

On cogne à la porte.

Matthias se retourne en secouant la farine sur ses vêtements et se précipite pour ouvrir. Un homme entre dans la pièce, couvert de neige ruisselante. Il dépose par terre le sac qu'il portait sur son dos et s'assoit sur le tabouret de l'entrée. Il se dévêt en reprenant son souffle. On reconnaît sans surprise son visage, sa barbe et son front légèrement dégarni. C'est Joseph.

Matthias est heureux de le voir. Ça ne fait aucun doute. Il lui offre du café, puis il l'invite à se rapprocher du poêle. Joseph le remercie, relève les manches de son chandail en laine et sort son paquet de tabac. Dès que Joseph allume sa cigarette, d'épaisses volutes de fumée s'élèvent dans les airs. Il nous regarde à tour de rôle. Matthias met de l'eau à bouillir en lorgnant le sac apporté par notre visiteur, moi je me redresse tant bien que mal dans mon lit.

Et puis, demande-t-il en tentant de cacher un petit rictus, tout se passe bien ?

À ses pieds, la neige fond, l'eau dégoutte et s'étend devant lui. On dirait qu'il est assis sur un rocher et qu'il regarde au loin, vers notre île déserte.

Soixante-trois

Au village, commence Joseph, certains avancent qu'il neigera encore pendant plusieurs jours. Je ne sais pas comment ils font pour lire dans les nuages, mais c'est ce qu'ils disent. Ils disent aussi que l'hiver sera long. Mais on n'a pas besoin d'être devin pour comprendre ça. En tout cas, il y a beaucoup de neige pour ce temps de l'année. Même en raquettes, ça devient difficile de monter jusqu'ici. Vous savez, on dirait que votre maison s'éloigne du village de jour en jour.

Lorsqu'il parle, Joseph fait de grands gestes avec ses bras et la cendre de sa cigarette tombe sans qu'il s'en aperçoive.

Cette semaine, un groupe de chasseurs est sorti du bois. On ne les attendait plus. Les autres sont revenus de leurs camps de chasse depuis longtemps. Ils voulaient éviter les détours inutiles, alors ils sont partis quand la glace des lacs était suffisamment épaisse pour les porter. Avec tous les quartiers d'orignal qu'ils ont rapportés, je les comprends. En bas, on s'active pour saler la viande et la mettre en conserve. C'est beau à voir.

En éteignant son mégot, Joseph s'incline dans ma direction.

Par contre, on est encore sans nouvelles de ta famille. Au village, certains disent qu'ils ont eu des ennuis et qu'ils ont été piégés par la neige. Bah. On raconte toutes sortes d'histoires, vous savez. Ils ont peut-être simplement préféré passer l'hiver dans le bois, loin de la panne et de tout le monde. Je ne m'inquiète pas pour eux, ils en ont vu d'autres.

Pendant que Matthias nous sert du café, je pense au camp de chasse de mes oncles. Il est au bord d'une rivière, entre deux chapelets de montagnes. Je me souviens qu'à cet endroit le débit est puissant et les fosses sont vertes et profondes. Il faut traverser en canot. De l'autre côté, les cèdres sont immenses et le sol est tapissé de mousse. Le camp est un peu en retrait. Il faut suivre un sentier de racines. Quand on aperçoit la cheminée entre les arbres, on est arrivé. Ce n'est pas très grand, mais il y a de la place pour tout le monde. Ils ont très bien pu passer l'hiver là-bas.

Vous savez, poursuit Joseph, il y a eu quelques assemblées au village. Malgré la panne, Jude a insisté pour conserver son rôle de maire. Au début, on se méfiait, mais José l'a appuyé ouvertement et tout le monde a fini par se faire à l'idée. Après tout, c'est grâce à Jude si on ne s'en tire pas trop mal. Il coordonne nos efforts, conserve précieusement les réserves d'essence et assure la distribution des provisions qui ont été entassées dans l'épicerie. Vous savez, depuis la panne, près de la moitié de la population a déserté le village. Les gens sont allés dans les villages voisins, en ville ou en forêt, qu'est-ce que j'en sais ? Jude a raison. Ça ne sert à rien de partir. Ou de s'inquiéter outre mesure. Il faut s'accrocher et traverser l'hiver. C'est étrange, pour ma part, j'ai l'impression que la neige a calmé les esprits. Presque tout le monde était là pour la dernière corvée de bois de chauffage. D'ailleurs, je viendrai vous en porter bientôt.

Enfoncé dans mon lit, je peste contre mon sort. J'aurais tellement aimé contribuer et abattre quelques arbres. Au lieu de cela, je trépigne dans mon lit, coincé entre ma tête et mes attelles.

Sinon, continue Joseph, on garde toujours un œil sur l'entrée du village, mais, avec la neige qui s'accumule, je serais surpris qu'on ait de la visite. Je suis content de ne plus avoir à faire des rondes de surveillance ni à traîner mon fusil partout où je vais. C'est lourd pour rien, ce truc-là. Si jamais il y a un problème, les cloches de l'église vont sonner l'alerte. Il faut bien qu'elle serve à quelque chose, cette église. En attendant, Jude nous a demandé de ratisser les maisons abandonnées pour réunir les denrées que les gens ont laissées derrière eux. Dans une cave, on est tombés sur des récoltes de jardin, des patates, des carottes, des navets.

En disant cela, Joseph prend son sac et le dépose sur la table. Matthias se précipite aussitôt, ravi par l'abondance des vivres.

Quelqu'un a aussi déniché un vieil émetteur radio et des panneaux solaires, enchaîne Joseph.

Et vous êtes arrivés à communiquer avec d'autres villages ? le questionne Matthias.

Non. On a fait quelques tentatives, mais personne ne sait réellement se servir de ce truc-là. Par contre, avec les panneaux solaires, on peut maintenant recharger nos piles sans démarrer les génératrices. De mon côté, j'ai découvert une pompe à eau manuelle. On a enterré un tuyau sous la neige et on peut enfin puiser directement l'eau de la rivière. On a aussi rassemblé les bombonnes de gaz, les brûleurs à fondue, des outils, des couvertures. Certains profitent des recherches pour ramasser tout l'argent qu'ils peuvent trouver, comme si le retour de l'électricité allait sonner leur heure de gloire. Il y a même eu quelques escarmouches, mais personne n'a osé intervenir.

Tu as apporté du lait ? l'interrompt Matthias.

Non, ça sera la prochaine fois. Il ne reste que douze vaches à l'étable. Vous savez, on a abattu les autres pour les manger. De toute façon, le troupeau aurait fini par manquer de foin au cours de l'hiver. Et, depuis, c'est plus compliqué d'aller chercher du lait, on le garde surtout pour les enfants du village. Par contre, tous ceux qui ont goûté à ton fromage l'ont vraiment aimé. Certains seraient prêts à faire du troc pour en avoir encore.

Matthias lève la tête en interrogeant Joseph du regard.

Je te le dis, assure Joseph, c'est vrai qu'il est bon, ton fromage, tu devrais aller voir Jacques. Il habite dans l'ancienne boutique de chasse et pêche. C'est un type particulier, mais c'est toujours lui qui fait les meilleures offres. En tout cas, tout le monde fait affaire avec lui.

Matthias réfléchit un instant, puis se replonge dans le rangement méthodique de la viande, des légumes et des conserves. Pendant ce temps, Joseph s'avance vers moi.

C'est bien, tu continues de reprendre des forces, à ce que je peux voir. En bas, on me croit à peine quand je dis que tu t'en sors. D'ailleurs, j'ai un cadeau pour toi. Je suis allé jeter un œil dans l'ancienne entrée de la mine, il y a quelque temps. Ça faisait bien quinze ans que je n'avais pas mis les pieds là. Tu te souviens ? On y allait souvent lorsqu'on était jeunes. J'avais entendu que des gens y avaient trouvé refuge. Mais il n'y avait personne, ce n'était qu'une rumeur. De toute façon, qu'est-ce que tu veux faire là-dedans ? À part fumer en cachette, effrayer les chauves-souris en leur lançant des billes et dessiner sur les parois des espèces d'animaux à l'épreuve du temps ? Tu te souviens, n'est-ce pas ?

Joseph glisse alors la main dans la poche intérieure de son manteau et me donne une petite boîte.

Regarde, j'ai aussi trouvé ça par terre.

Tandis que je m'apprête à l'ouvrir, je remarque que Matthias nous observe, l'air de rien, en classant les dernières victuailles dans le garde-manger. Dans la boîte, il y a un lance-pierre, en plus de quelques billes en fer. Je le prends, teste l'élasticité du caoutchouc, soupèse une bille et la dépose au centre de la poche de cuir. Je vise différents objets dans la pièce, mais je n'ose pas décocher un tir. Joseph sourit.

Je savais que ça te plairait. On en avait des pareils dans le temps. La prochaine fois, on verra lequel de nous deux est encore capable de viser, pour l'instant je dois y aller si je veux arriver au village avant la tombée de la nuit. Et j'oubliais, Maria m'a chargé de te dire qu'elle viendra dans les prochains jours.

Pendant que Joseph se rhabille en discutant avec Matthias, je manipule mon lance-pierre en pensant à mes oncles, au milieu de la forêt, qui assurent leur subsistance avec le gibier qu'ils rapportent.

Joseph nous salue et referme la porte derrière lui. La pièce semble soudain vide. Sur le plancher, ses traces de bottes scintillent comme un grand réseau de lacs qu'on aperçoit du haut d'une montagne, à l'aube.

Dehors, la pénombre gagne le paysage. Le vent s'est levé. On l'entend tournoyer dans l'âtre du poêle. Les flocons tombent abondamment. Ils sont si gros qu'on dirait que chacun d'eux pourrait couvrir le décor à lui seul. Matthias allume la lampe à huile et, les yeux brillants, il me montre un paquet de viande en le tenant bien haut, comme un trophée, un butin précieux.

Alors, tu as faim ?

Soixante et onze

Des bourrasques secouent la véranda, les murs gémissent et le silence se fissure de part en part.

Matthias dort. Sa respiration se confond avec le souffle des flammes qui gémissent à l'intérieur du poêle. Ou avec les rafales qui tourbillonnent sous la corniche. Je n'arrive pas à trouver le sommeil. Je pense à Maria, à sa façon de me parler, de rire devant mon silence, à la douceur de ses mains quand elle inspecte mes blessures, aux souvenirs qui surgissent quand je la vois. Il y a longtemps qu'elle est venue me voir. Le temps cicatrise ce qu'il peut, mais rien n'est joué. Je suis toujours étendu là et je regarde les journées se donner le relais en espérant que mes jambes pourront me porter de nouveau, un jour. En attendant, Matthias me soigne et me nourrit. Je sais qu'il n'a pas vraiment le choix. Nous sommes prisonniers l'un de l'autre.

Entre les coups de vent, j'entends du bruit. Je crois que ça provient de l'autre côté. On dirait une petite bête qui longe les murs en cherchant un passage jusqu'au garde-manger. C'est peut-être une souris, une hermine, un écureuil. Ou quelque chose de plus gros, je ne sais pas.

Je me redresse sur les coudes et regarde autour de moi, mais l'obscurité est totale. Je n'arrive même pas à voir Matthias sur le divan. Dans le milieu de la nuit, il n'y a que les narines rouges du poêle qui soient bien visibles.

Soixante-dix-sept

La neige a cessé il y a à peine quelques heures, en fin d'après-midi. Depuis, le ciel s'est dégagé et la ligne de la forêt est réapparue, franche et imposante. Avec ma longue-vue, je scrute le paysage pour voir si quelqu'un vient, par hasard, mais je ne distingue que des arbres alourdis par la neige. Sous les branches, un nombre infini de tunnels s'enfoncent vers les montagnes, soutenus par des colonnes de sève tranquille. La forêt est voûtée, vaste et vive. Je comprends mes oncles et mes tantes d'y être restés.

À cette heure, ils doivent discuter bruyamment près du poêle à bois. Dans le désordre des paroles enchevêtrées et des exclamations, ils se servent probablement un peu de l'alcool fort qu'ils ont précieusement apporté, pour se tenir au chaud. Ils se racontent leur journée de chasse, ou peut-être des anecdotes des années passées. Ils blaguent surtout, s'interrompent et se relancent. C'est ainsi. C'est toujours ainsi. Et ce tumulte de récits, de plaisanteries et d'éclats de rire adoucit certainement l'hiver.

Ici, la neige s'accumule en silence pendant que Matthias fait la cuisine ou le ménage et que je me perds en regardant dehors. Ici, tout tourne autour des jours de ravitaillement et des jours de soins. Ici, rien ne me permet de m'éloigner de mon lit, de mes attelles.

De l'eau bout dans une grande marmite. Matthias se lève et la verse dans une bassine en plastique. Il dépose le récipient fumant sur un coin de la table, avec un savon et une éponge, puis il s'avance vers moi.

Déshabille-toi, c'est l'heure du bain.

Je retire un à un les gilets que je porte. Mais le tissu colle à ma peau et je reste captif de l'un d'eux. J'ai l'impression qu'avant de venir à mon aide Matthias en profite pour m'observer me débattre dans le vide. Ensuite, il repousse mes couvertures et me roule sur le côté pour retirer mes sous-vêtements. Comme il ne peut pas les faire glisser le long de mes jambes, à cause des attelles, Matthias les a coupés sur le côté. Cela lui permet de me les enlever et de me les remettre plus facilement. C'est pratique, mais ça me gêne un peu.

Je suis nu, assis sur le bord du lit. Je sens mes os saillir sous ma peau. Matthias approche la chaise à bascule et met les bras autour de ma taille.

Allez, viens.

Je m'agrippe à son cou. Ses bras se raidissent et, en me serrant sur sa poitrine, il me transporte jusqu'à la chaise. Lorsqu'il me dépose, la douleur monte de mes tibias à ma mâchoire. J'essaie de me concentrer sur les courants d'air qui glissent sur ma peau. Puis, Matthias trempe l'éponge dans l'eau savonneuse et me la tend.

Comme ça, si Maria vient te voir dans les prochains jours, au moins, tu seras propre, plaisante-t-il.

On se regarde un instant, puis je baisse les yeux sur mes attelles. Elles me font penser à des troncs d'arbres creux, mangés par les fourmis.

Matthias soupire en secouant la tête.

Tu sais, je vais finir par te faire parler. D'une manière ou d'une autre.

Je me lave comme je peux, les bras, les aisselles, le sexe. L'éponge tiédit rapidement et l'eau sur mon corps s'évapore en emportant ma chaleur. Je me dépêche. Je me nettoie le cou et le visage. Une série de frissons courent sur mon corps et me donnent la chair de poule. Je toussote pour signaler à Matthias que j'ai terminé. Il prend alors le relais et me frotte le dos, les cuisses, les pieds. Ses gestes sont brusques, secs, mais efficaces. Quand il a terminé, il me rend mon chandail, puis m'aide à mettre un nouveau caleçon.

Assis sur la chaise, je me sens mieux. Toujours aussi frêle, peut-être, mais ragaillardi. Matthias me donne un verre d'eau et quelques cachets. J'ai l'impression qu'ils ne sont pas de la même couleur que d'habitude. Je m'en fiche. Je les saisis et les gobe d'un trait.

Avant même de me réinstaller dans le lit, Matthias profite de l'eau chaude pour se laver à son tour. Du coin de l'œil, je le vois détacher ses chaussures, déboutonner sa veste et retirer son pantalon. Il me tourne le dos. Éclairée par la lumière oscillante de la lampe à huile, sa silhouette semble diaphane. Même s'il possède une carrure imposante et que ses gestes sont plus alertes que les miens, les dessous de ses bras pendent, ses fesses tombent et les vertèbres ressortent de son dos. Je l'observe qui frotte énergiquement son corps osseux, se rince à la hâte et se rhabille. Le cliquetis de sa boucle de ceinture résonne dans la pièce. Lorsqu'il se penche devant le miroir pour replacer ses cheveux, il reste figé un instant devant son reflet. Je l'entends qui marmonne quelque chose, mais je n'arrive pas à décrypter les sons qu'il émet. On dirait une prière, des incantations ou des sanglots.

Lorsqu'il se retourne, je ferme les paupières et relâche les muscles de mon cou, comme si j'étais assoupi depuis un moment.

Matthias fait quelques pas vers moi.

Tu vas voir, dans quelques instants, avec les somnifères que tu viens d'avaler, tu ne feras plus semblant de dormir. Ou de te taire.

Soixante-dix-sept

Je marche sur un sentier de terre craquelée et de racines. Le soleil s'acharne sur la forêt, l'air est chaud et tout est sec. Autour de moi, les arbres défilent, opaques et épineux. Je porte un gros sac sur mon dos, pourtant il ne pèse rien. Dissimulés dans les branchages, quelques oiseaux se répondent. Leur chant est clair, mais je n'arrive pas à reconnaître l'espèce à laquelle ils appartiennent. Des écureuils traversent le sentier à toute allure. Ils sont nombreux. Et téméraires. Ils s'arrêtent devant moi et me dévisagent en lâchant quelques cris stridents. J'essaie de ne pas leur prêter attention. Mon pas est bon. Assuré et vigoureux. Soudain, les alentours s'assombrissent. Les oiseaux s'envolent, les écureuils se terrent dans leur cachette et d'autres bêtes filent dans les broussailles. Je presse le pas. Je ne sais pas ce qui se passe. Le vent se lève et souffle de tous les côtés. On dirait que la forêt entière vient de faire un soubresaut. J'accélère encore la cadence. Une odeur de fumée parvient à mon nez. Je ne sais pas d'où elle vient. Je repère un grand cèdre à quelques centaines de mètres. Je laisse tomber mon sac et je m'y rends en enjambant les racines qui tendent les mains vers mes chevilles. Le cèdre est gigantesque et son tronc fuit vers le ciel. Je m'agrippe à son écorce fibreuse et grimpe le plus haut possible. Ça sent la fibre carbonisée, le métal chauffé à blanc et la chair calcinée. Lorsque je parviens à voir au-dessus du faîte des conifères entassés, j'aperçois des flammes immenses. Elles avancent en se tordant de rire et dévorent la forêt avec un appétit insatiable.

Je me redresse brusquement dans mon lit. Mon rêve s'évanouit, mais les yeux et la gorge me piquent toujours. Mes poumons brûlent. Dans la lumière éclatante du jour, un épais nuage de fumée tournoie dans la pièce.

Je regarde partout. Matthias n'est pas là. J'ai de la difficulté à respirer. Je me couvre la bouche avec un bout de drap. La fumée s'échappe d'une casserole sur le poêle comme d'un volcan en éruption.

Je me remue. Je pense à me laisser tomber du lit, mais je n'arriverai jamais à me relever pour mettre la main sur la casserole. Ou pour ouvrir la porte. Pourtant il faut que je sorte ! Et vite. Il faut que je sorte ou que je fasse quelque chose. Que je fasse quelque chose ou que j'appelle à l'aide. Que j'appelle à l'aide. Je n'ai pas le choix. J'inspire profondément et je crie à pleins poumons.

Au feu ! Au feu !

La porte de l'autre côté s'ouvre d'un coup et Matthias apparaît en trombe à travers les spirales de fumée.

Il s'avance vers le poêle, prend le premier vêtement qu'il voit, s'empare de la casserole et se précipite dehors.

La fumée se dissipe en suivant les courants d'air. La pièce empeste, mais au moins nous respirons de nouveau. Matthias reste planté dans le cadre de porte en regardant la veste qu'il a prise pour se protéger la main. La laine a été trouée à plusieurs endroits par le métal rougi.

C'est une veste que ma femme m'avait offerte, dit-il d'une voix chancelante. Je la mettais rarement, mais je l'apportais partout où j'allais.

Quatre-vingt-un

Le baromètre pointe vers le ciel et la pièce est inondée de la lumière du jour. Je me prélasse au soleil comme le font les animaux à sang froid.

Depuis qu'il est parvenu à me faire dire au feu, au feu, Matthias ne cesse d'insister.

Ma voisine n'est jamais venue, tes oncles et tes tantes t'ont abandonné. Nous sommes seuls au monde. Mais au moins, tu parles. Je le sais, je t'ai entendu. J'ai toujours su que tu finirais par céder.

Soudain, le bruit d'un moteur, au loin. Matthias se fige. On dirait qu'il vient d'entendre le cri d'une espèce disparue depuis des millions d'années. Je sors ma longue-vue et scrute les alentours. Une motoneige jaune apparaît dans le haut de la pente. Elle tire un traîneau chargé de bois. Le conducteur se tient debout, la tête baissée, les deux mains bien accrochées aux commandes. Je finis par le perdre de vue derrière les arbres, mais le claquement des pistons se rapproche toujours. La motoneige jaune surgit à vive allure et s'immobilise devant la porte d'entrée. C'est Joseph qui arrive avec un

80

chargement de bois. Matthias s'empresse d'aller lui ouvrir.

Ça sent le brûlé ici, remarque Joseph.

Matthias esquive le sujet en lui demandant comment il s'est procuré de l'essence. Joseph s'adosse au cadre de porte. Ses yeux brillent.

Je n'ai eu à convaincre personne, vous savez.

Matthias lui donne un coup de main pour décharger le bois. Quand ils ont terminé, ils rentrent pour se réchauffer et boire un café. Joseph calcule que nous pourrons nous chauffer pendant un bon moment. Pas jusqu'au printemps, mais presque. Il nous prévient par contre qu'il y a un peu de bouleau vert dans le lot.

Vous verrez, certaines bûches chuintent plus que les autres.

En s'enquérant de Maria, il sort une flasque métallique et verse un peu d'alcool brun dans son café.

Je parie qu'elle était accompagnée de José quand elle est venue ici. Celui-là, je crois qu'il la suivrait partout s'il le pouvait.

Matthias et moi échangeons un regard.

Ça fait longtemps qu'on a vu Maria, indique Matthias.

Ah, s'étonne Joseph, c'est étrange. Pourtant tout est tranquille au village. Je vais lui rendre visite, conclut-il en remontant le col de son manteau. Si José me laisse la voir. Vous savez, ce n'est jamais simple avec les types comme lui.

Puis, Joseph boit son café d'un trait, nous salue et enfourche sa motoneige. Avant qu'il ne démarre, Matthias se précipite vers lui pour lui dire de ne pas oublier d'apporter du lait la prochaine fois. Pour le fromage. Joseph opine d'un signe de tête, tire sur le démarreur et emboutit le décor en faisant rugir le moteur.

Pendant ce temps, dans le poêle, le bois vert siffle dans les flammes comme s'il pestait contre son destin.

Quatre-vingt-un

Aujourd'hui, tout est gris. La neige et le ciel se confondent. Il n'y a que le triangle noir des grandes épinettes qui me permet d'imaginer l'horizon.

Matthias est sorti. Avec ma longue-vue, je le vois avancer en luttant contre la neige. À plusieurs reprises, il s'arrête pour souffler et repart d'un pas décidé. Plus loin, dans les méandres du décor, j'aperçois une autre silhouette. Elle porte un manteau rouge éclatant et progresse rapidement, comme si elle glissait sur la neige. Quand il l'aperçoit à son tour, Matthias la salue de la main. Ils s'avancent l'un vers l'autre et se rejoignent dans la clairière, près de l'échelle à neige. Je les vois qui discutent un instant avant de se diriger vers la maison.

Un peu plus tard, la porte s'ouvre et Matthias entre avec Maria. Pendant qu'il secoue ses raquettes, elle appuie ses skis de fond sur le mur et ouvre son manteau. Je tente de m'asseoir dans mon lit le plus dignement possible.

Comment ça va ? demande-t-elle.

Je m'apprête à répondre, mais Matthias me devance.

Il s'en sort, dit-il, il s'en sort.

Joseph m'a dit que tu avais meilleure mine, poursuit Maria en me regardant dans les yeux, il avait bien raison. Je peux t'examiner ?

Je hoche la tête. Elle s'approche en répondant à mon sourire et dépose la trousse qu'elle portait en bandoulière. Quand elle se penche vers moi pour mettre la main sur mon front, je devine la forme de ses seins sous son chandail.

Je voudrais la remercier. Lui dire que je suis content de la voir, que je me souviens d'elle, toute jeune encore, quand nous allions à l'école. Lui dire qu'elle est devenue une femme magnifique, que les boucles de ses cheveux, les traits fins de son visage, l'assurance de ses gestes ramèneraient n'importe quel mourant à la vie. Mais, dès que je me décide à parler, elle enfonce un thermomètre dans ma bouche.

Garde-le sous ta langue en fermant tes lèvres dessus.

Elle découvre ensuite mes jambes et défait mes attelles. Matthias s'approche en la questionnant.

Et José, il n'est pas avec toi ?

Non, José n'est pas avec moi. Jenny va accoucher d'un jour à l'autre. Il est resté là-bas, avec la famille. Au cas où les contractions commenceraient.

Pendant qu'elle déroule la gaze, je fixe les poutres du plafond. C'est la seule façon de garder mon aplomb. Et de tenir la douleur à distance. Je me sens ridicule, avec mes blessures, mon silence et mon caleçon blanc qui s'attache sur le côté. Je sais, mes jambes sont couvertes d'hématomes, mes cuisses et mes mollets sont atrophiés. Je sais, je ressemble davantage à un fantôme qu'à un homme.

Joseph est passé te voir ? demande Matthias.

Non. Je veux dire oui, il est passé, répond Maria en rougissant.

Puis, elle palpe mes os, fait plier mes genoux et rouler doucement mes chevilles. Ses mains sont chaudes, attentives. Et la douleur monte en moi. Comme le désir.

C'est normal que tu souffres, reprend-elle, à cause de tes ligaments. On devrait tout de même diminuer tes doses d'analgésiques, de toute façon il faudra que tu t'habitues à la douleur un jour ou l'autre. Ta jambe droite guérit bien, mais l'autre récupère beaucoup moins vite.

Je me souviens soudainement de ce que me contait Matthias, au début, pour me faire peur. Et me contraindre à accepter ses soins.

Tu vois ça ? hurlait-il en montrant la scie à main accrochée au mur, c'est ce qui t'attend. Nous vivons comme les bûcherons d'autrefois, dans les grands chantiers. Une cabane ensevelie sous la neige, un poêle à bois, quelques vivres. Et leurs remèdes sont aussi les nôtres. Quand la hache glissait des mains d'un travailleur, à cause du froid, de la fatigue ou de la témérité, et qu'elle se plantait dans une cuisse, un tibia ou un pied, il n'y avait plus qu'une solution. L'eau-de-vie, le feu et la scie. Sinon, c'était la gangrène, la fièvre et une mort affreusement lente.

Pendant que je regarde la scie à bûches accrochée au mur, Maria défait mes points de suture un à un, à l'aide d'une pince à épiler et d'une paire de ciseaux.

Ses mouvements sont délicats, mais je sens que ça tire. Je me retourne vers elle.

Ça va aller, ajoute-t-elle sans lever les yeux, j'ai presque terminé.

En refaisant mes pansements, Maria demande comment je me sens. Je balbutie quelques sons, puis elle rit et retire le thermomètre de ma bouche en s'excusant.

Ça va, lui dis-je en regardant le blanc immaculé de mes nouveaux pansements, ça va.

Dès qu'il entend le son de ma voix, Matthias lève la tête.

En tout cas, tu n'as plus de fièvre, annonce Maria.

Quand vais-je pouvoir marcher ?

Sois patient, me répond-elle, tes os se renforcent, mais tes muscles n'ont pas fini de se régénérer. Tu peux commencer par retirer tes attelles de temps à autre, ça te fera du bien.

Puis, elle me fait un clin d'œil et se retourne vers Matthias pour lui donner sa trousse.

Tenez. Il y a de la gaze neuve, des tubes d'onguent, des antibiotiques et tout le nécessaire. Certains produits sont périmés, mais ça ne change rien.

Je prépare de la soupe, pourquoi tu ne resterais pas manger avec nous ?

Je vous remercie, décline-t-elle, il faut vraiment que j'y aille. On m'attend en bas. Je reviendrai bientôt.

Tout le monde dit ça par ici, lance Matthias.

Maria sourit sans rien ajouter, reprend ses skis et repart comme elle est arrivée. Par la fenêtre, un point rouge s'éloigne en illuminant tout le paysage.

Matthias met la soupe sur le poêle et remue les braises avec le tisonnier. Quand il tourne la tête dans ma direction, ses pupilles ont la couleur des tisons ardents.

Quatre-vingt-un

Matthias approche une chaise de mon lit et installe le jeu d'échecs sur ma table de chevet.

Je lui souris, mais j'aurais préféré un jeu de cartes, on aurait pu jouer de l'argent.

J'ai toujours su que tu finirais par céder, recommence Matthias. Si on ne peut pas changer les choses, on finit par changer les mots. Je ne suis pas ton médecin, je ne suis pas ton ami, je ne suis pas ton père, tu m'entends ? On passe l'hiver ensemble, on le traverse, puis c'est fini. Je prends soin de toi, on partage tout, mais, dès que je pourrai partir, tu m'oublies. Tu te débrouilles. Moi, je repars en ville. Tu m'entends ? Ma femme m'attend. Elle a besoin de moi et j'ai besoin d'elle. C'est ça mon aventure, c'est ça ma vie, je n'ai rien à faire ici, tout ça est un concours de circonstances, un coup du sort, une grossière erreur.

En disant cela, il avance une pièce sur l'échiquier et m'invite à le défier.

J'ai toujours su que tu finirais par céder. Personne ne peut se taire ainsi. Tout le monde retourne vers la parole un jour ou l'autre. Même toi. Et, bientôt, je te le dis, tu vas aussi t'adresser à moi. Tu vas me parler, même s'il n'y a pas le feu, même si je ne suis pas une jeune vétérinaire. Tu vas me parler, tu m'entends ? Et tu vas jouer aux échecs avec moi. C'est ça qui va arriver. Rien d'autre. Vas-y, c'est à toi de jouer.

3

Icare

Si tu voles trop bas, l'humidité plombera ton plumage et tu t'écraseras au sol. Si tu voles trop haut, la chaleur du soleil désintégrera tes ailes et tu sombreras dans le vide. Je te répéterai cette leçon deux fois, dix fois, cent fois. Puisque, à ton âge, on se croit tous invincibles. Tu me trouveras peut-être vieux et rabat-joie, mais rappelle-toi que je sais ce que tu ignores. Dès qu'on aura pris notre envol au-dessus de ce lieu clos et sans vie, tu t'émerveilleras de la profondeur de l'horizon. Déjà, on sera ailleurs. Déjà, on sera sauvés.

Quatre-vingt-quatre

Les glaçons de la corniche découpent le décor en bandes verticales. Il fait beau, la neige reflète le bleu du ciel. Les aiguilles des pins sont figées par le froid. Quelques flocons errent entre le ciel et la terre. Je ne sais pas d'où ils viennent. Ils sont portés par la brise et semblent ne jamais vouloir toucher le sol. Comme des météores qu'on verrait passer de près sans qu'ils menacent de s'écraser sur nous.

Matthias fait sa gymnastique. Il sautille sur place. Ses membres sont relâchés et son vieux corps svelte s'ajuste aux soubresauts avec une fluidité impressionnante. De temps à autre, il frappe sa cage thoracique avec la paume de sa main et fait résonner la profondeur caverneuse de ses poumons.

Je le regarde faire en me disant que je vais mieux. Que je vais bientôt pouvoir sortir de mon lit. La douleur est encore très près de moi, comme un fauve endormi, mais je n'ai presque plus besoin de cachets pour supporter sa présence à mes côtés.

Quand il termine ses exercices, Matthias ouvre la trappe du garde-manger et sort quelques aliments.

Je peux te donner un coup de main, lui dis-je.

Matthias lève les yeux vers moi. Il hésite. Peut-être pense-t-il que je veux lui ravir le privilège de déjouer le temps qui passe en préparant les repas, mais il finit par accepter.

Tiens, dit-il en m'apportant un couteau et une planche à découper, occupe-toi des légumes pour la soupe, moi je vais préparer du pain.

En pelant les patates, je me rends compte que c'est la première fois que je me rends utile depuis mon arrivée ici. Je ne me tiens pas encore debout et je ne suis pas très habile en cuisine, mais je fais enfin quelque chose. De son côté, Matthias pétrit de la pâte en sifflotant, ou plutôt en faisant chuinter l'air entre ses dents. On pourrait croire qu'il imite le bruit des rivières gonflées par la fonte des neiges, au printemps. Ou encore le vent glacial qui tourbillonne au-dessus de la véranda.

Pendant que la soupe mijote, la vapeur qui monte dans les airs se colle à ma fenêtre. Avec le froid, elle forme une fine couche de givre. Pour voir à l'extérieur, je dois gratter un coin de la vitre. Un petit hublot dans un vitrail de cristaux. Tandis que je regarde dehors, Matthias me raconte que son père était cuisinier sur des chantiers forestiers. Et que lui-même a été son assistant pendant quelques années, après la fin de la guerre.

Je me souviens, ils partaient dès le début du printemps. Ils étaient nombreux à braver les cours d'eau en crue pour draver le bois vers les ports, en aval. Leur travail consistait surtout à défaire les embâcles qui se formaient dans les méandres des rivières, quand les billots s'entassaient les uns sur les autres, avec le courant. Parfois, quelques manœuvres suffisaient pour débloquer le passage, mais souvent ils devaient utiliser des explosifs. Aucun d'entre eux ne savait nager, personne ne portait de gilet de sauvetage, par contre tous avaient une croix pendue à leur cou. Ils se promenaient sur les troncs d'arbres flottants avec leurs bottes cloutées, leur perche, quelques bâtons de dynamite et leurs chansons à répondre. Quand un draveur était soufflé par une déflagration ou disparaissait entre les billots suite à une maladresse, il ne pouvait s'en remettre qu'à ses prières. Parfois, ses collègues arrivaient à repêcher son corps avant qu'il ne soit emporté par les flots, mais généralement les rapides et l'eau froide ne pardonnaient pas. Alors, chaque soir, quand ils s'assoyaient à table, les draveurs se recueillaient un instant, puis mangeaient tout ce qu'on leur préparait comme si c'était leur dernier repas.

Pendant que les galettes de pain noir cuisent sur le poêle et qu'une odeur de farine grillée parfume la pièce, Matthias désigne le crucifix qu'il a installé au-dessus de la porte d'entrée.

Je hausse les sourcils.

C'est prêt, lance Matthias.

Il nous sert de la soupe et rompt une galette en deux. C'est chaud. La mie est fumante. Je la trempe dans le bouillon et mords dedans à pleines dents. Alors qu'il récite une espèce de bénédicité, je relance Matthias avant même d'avoir terminé ma bouchée.

On est comme ces draveurs dont tu parles. Mais ce n'est pas d'un crucifix qu'on a besoin, c'est d'un fer à cheval.

Matthias me dévisage un instant comme si je n'avais rien compris. Puis, lentement, son visage s'éclaircit et il me remercie de partager avec lui le pain de ce jour.

Quatre-vingt-huit

Matthias m'aide à me rendre jusqu'à la chaise à bascule. Encore une fois, je suis surpris de la force avec laquelle il me soutient. J'imagine aussi que je n'ai jamais été aussi léger, aussi chétif.

Je suis installé près du poêle, avec ma longue-vue et une couverture. Matthias est assis tout près, à la table. Il enfile une aiguille à coudre.

J'ai un nouvel angle de vue sur le paysage. Je vois toujours la forêt qui se dresse sans compromis au-dessus de la neige. Mais, d'ici, je peux apercevoir les poteaux et les fils électriques qui traversent le décor en nous reliant au village. Ces câbles métalliques auxquels étaient accrochées nos vies d'avant. Ces conduits qui étaient animés par une charge mystérieuse. Ces traits noirs où quelques oiseaux sont perchés comme si rien n'avait changé.

Le soleil décline et le froid rend la neige d'hier éclatante. Quand je ferme les yeux, je vois des couleurs qui n'existent pas. Quand je les ouvre, il fait si clair que j'ai l'impression d'être atteint par la cécité des neiges.

En reprisant un jean, Matthias me demande quel était mon métier, avant la panne. Il le sait pourtant, j'en suis certain.

J'étais mécanicien.

Comme ton père ? ajoute-t-il.

Oui, comme mon père.

Et, depuis la panne, tu te considères toujours comme un mécanicien ?

Je suspends ma respiration un instant, en regardant mes mains, puis mes jambes. Avec l'accident et la panne d'électricité, on dirait que tout le temps que j'ai passé sous des véhicules, les mains dans l'huile et la limaille de fer, n'est plus qu'un vague souvenir.

En nouant minutieusement le fil à coudre, Matthias avance que, pour lui, rien n'a changé. Il a gagné sa vie en faisant toutes sortes de choses et il est marié depuis cinquante-sept ans.

Je suis toujours arrivé à mes fins. Ce n'est pas un hiver de plus qui va m'arrêter.

En disant cela, il se pique avec son aiguille. Il se lève brusquement, va à la fenêtre et change de sujet.

Le temps va tourner à la neige, lance-t-il, j'en suis certain.

Pour l'instant le ciel est complètement dégagé et, en jetant un coup d'œil au baromètre, je vois que la petite branche pointe vers le haut sans aucune hésitation.

Avec ses lèvres, Matthias essuie le sang qui perle au bout de son doigt. Au fond, je me demande s'il comprend ce qui se passe. Ce qui nous arrive. Ce qui nous attend. Peut-être qu'il ne saisit pas l'ampleur de cette panne d'électricité.

À moins que ce soit moi qui aie totalement perdu la notion des choses.

Quatre-vingt-huit

Matthias avait tort, il n'a pas neigé. Depuis bientôt une semaine, aucun nuage ne s'est formé au-dessus de nos têtes. Le jour, le soleil remplit la véranda, la nuit, les étoiles percent le ciel. Il n'y a que la neige chassée par le vent qui donne l'impression que le blanc du décor s'est épaissi par endroits.

Nous jouons aux échecs en discutant de choses et d'autres. De l'hiver, de la nourriture, de mes jambes. Nos conversations sont très brèves, car nos parties requièrent toute notre attention. Je ne suis pas encore parvenu à vaincre Matthias, mais je commence à connaître ses tactiques et il le sait. Désormais, il ne laisse plus rien au hasard. Il fait minutieusement ses calculs même quand il est question de bouger un simple pion. Comme si un renversement de situation était une chose inconcevable.

C'est à moi de jouer quand, soudain, on frappe à la porte. Matthias se lève d'un bond et m'intime de ne toucher à rien.

Un homme se tient dans le cadre de porte débordant de lumière. C'est Jonas. Je ne l'ai pas vu depuis plus de dix ans, mais je le reconnais dès qu'il met le pied dans la pièce. Quand je travaillais au garage de mon père, on le voyait passer à vélo. On aurait dit qu'il était toujours ivre, pourtant il ne buvait jamais. On l'entendait arriver de loin. Il sifflait et chantait en zigzaguant sur sa bicyclette. Tous les jours, comme un bienheureux, il inspectait les fossés et les poubelles à la recherche de bières vides. On pouvait souvent le voir sur le bord du chemin ramasser des bouteilles en se parlant à voix haute. De loin, on aurait dit qu'il s'expliquait avec l'horizon.

Il porte un pantalon de neige rapiécé aux genoux, un manteau turquoise, une chapka et une longue écharpe jaune. Il tient une paire de béquilles. Il entre et l'appuie sur le mur. Il s'assoit sur le tabouret de l'entrée en soufflant. Ses joues sont rougies par l'effort et le froid.

C'est difficile, c'est difficile d'avancer avec toute cette neige, dit-il en butant sur quelques syllabes. Avec des raquettes aux pieds, j'ai toujours peur de tomber et de ne pas pouvoir me relever. Ça m'a pris, ça m'a pris une bonne heure pour monter ici, peut-être plus.

Matthias semble surpris par cette arrivée soudaine, mais Jonas ne s'en formalise aucunement. Il m'observe, le visage déformé par un sourire gigantesque.

Je me souviens quand tu étais haut comme ça. Comme ça. Tu courais partout dans le village avec les autres de ton âge. Vous essayiez de me faire peur. De me faire peur quand je faisais ma tournée de bouteilles vides.

Jonas a vieilli sans vraiment changer. Il a conservé la même gestuelle, à la fois hésitante et brusque. Le même enthousiasme débordant.

La même absence lumineuse dans le regard. C'est vrai, il n'a presque plus de cheveux sur la tête, ni de dents dans la bouche, par contre son débit de paroles est toujours rapide. Parfois ses phrases se chevauchent et s'emmêlent. Comme s'il était pressé de dire les choses, de crainte qu'elles changent avant qu'il ne les raconte.

J'ignorais que c'était toi qu'on avait trouvé, sous la voiture renversée, cet été. Avoir su. Avoir su, je serais venu te voir avant. Pour te dire que je suis désolé pour ton père. Désolé. Mais il n'allait pas bien. Au village, on racontait toutes sortes de choses à son sujet. Les gens sont comme ça. Je suis, je suis bien placé pour le savoir. Moi, je me souviens bien de lui, j'allais souvent le voir au garage, je m'assoyais dans un coin et je lui parlais en le regardant travailler. Ça faisait longtemps que tu n'étais pas revenu au village. Bien de l'eau, bien de l'eau a coulé sous les ponts. Depuis, ma vieille mère est morte aussi. Mais, par chance, elle est partie un peu avant la panne, elle.

Matthias met de la soupe sur le feu. Je cherche quoi répondre. Mon père, sa vieille mère, la panne d'électricité. C'est comme ça, on n'y peut rien.

C'est gentil d'être venu, finis-je par dire.

C'est la belle Maria qui m'a appris que tu étais ici, poursuit-il. Elle m'a donné une paire de béquilles pour toi, regarde. C'est elle qui m'a demandé de te les apporter. Ce sont de vraies béquilles. De vraies béquilles en bois. Je voulais venir te les porter plus tôt, mais, hier, un jeune du village est revenu de la forêt le visage ensanglanté. C'était Jacob. Il pleurait et on ne comprenait pas un mot, pas un mot de ce qu'il disait.

Jonas cligne des yeux à quelques reprises, avale sa salive, puis reprend.

Quand il est arrivé, il saignait beaucoup. On avait beau éponger son visage, il n'y avait rien, rien à faire. Les gens commençaient à paniquer. Comme je ne faisais rien, on m'a demandé d'aller chercher de l'aide. Alors, c'est ce que j'ai fait. Maria n'était pas chez elle. C'est José qui m'a ouvert. Je lui ai tout raconté et il est parti sur-le-champ. J'ai poursuivi mes recherches, parce que c'est Maria qui s'occupe des blessés, normalement. Mais elle n'était nulle part. Alors j'ai cogné chez Joseph. Il est venu me répondre à moitié nu, comme s'il venait de sortir du lit. Je lui ai tout raconté à son tour. J'avais à peine terminé mon récit que la belle Maria est apparue derrière lui en boutonnant sa chemise à la hâte. Elle m'a remercié, a pris un manteau et est partie aussitôt. Je suis resté un moment sur le pas de la porte avec Joseph. L'air était froid, mais cela ne semblait pas le déranger. Il m'a regardé dans les yeux et m'a fait promettre de ne pas dire un mot. Je le lui ai promis, parce que ça avait l'air très, très important.

Du coin de l'œil, j'aperçois le sourire de Matthias, comme s'il venait de gagner un pari.

Quand je suis retourné auprès de Jacob, Maria et José pansaient ses blessures. Entre-temps, entre-temps il avait fini par expliquer ce qui s'était passé. Il avait capturé une hermine en la coinçant dans une souche creuse. Quand il s'est penché pour l'observer, elle lui a sauté au visage. C'est féroce, ces petites bêtes-là. Il faut s'en méfier. Surtout si elles se sentent prises au piège. Elles sont toutes blanches avec un museau rose. Elles sont jolies, mais féroces. Jacob s'est fait entailler la joue et le sourcil. Rien, rien de trop grave. Mais quelle matinée ! C'est pour ça, c'est pour ça que je ne suis pas venu te porter les béquilles hier. À cause de Jacob. Et de l'hermine.

Matthias offre un bol de soupe à Jonas. Celui-ci l'accepte volontiers.

Dans deux jours, il va y avoir une soirée dansante au village, lance Jonas entre deux lampées. C'est Jude qui organise tout ça, dans le sous-sol de l'église. Avec les générateurs et tout. Il dit qu'il y aura de la bière et un repas chaud. Ça fait longtemps qu'il en parle, tout le monde, tout le monde est invité. Je vais y aller aussi, c'est certain. Pour le repas chaud, et pour les bouteilles vides. Plus personne ne veut me les acheter, mais je les garde de côté. Un jour, un jour, j'irai récupérer la consigne ailleurs et ça me fera des sous. Beaucoup de sous.

Jonas vide son bol bruyamment en le portant directement à ses lèvres, puis il le dépose devant lui avec un air de satisfaction.

Il va neiger dans les prochains jours, affirme-t-il, les nuages, les nuages sont en queues de jument. Il fait froid, par contre on sent déjà que l'air est plus humide. Et le vent va souffler pendant quelques jours, c'est certain. De toute façon, vous êtes bien ici. Avec le soleil et le poêle, vous êtes bien mieux, bien mieux que de l'autre côté, n'est-ce pas ?

Matthias approuve d'un signe de tête pendant que Jonas se lève, remet son manteau, sa chapka et son écharpe.

Il faut que je redescende au village. J'ai promis, j'ai promis de donner un coup de main à l'étable, cet après-midi. On va sortir du foin de la grange. Ça fait beaucoup de raquette dans une seule journée et je n'aime pas vraiment marcher avec ces trucs-là dans les pieds. Peu importe, sache que je suis content de te voir, de te revoir. Après tout, c'est chez toi ici. Et les béquilles, les béquilles que la belle Maria t'a trouvées, elles sont là. Tu sais, je me souviens quand tu étais haut comme ça. Tu courais partout dans le village avec les autres de ton âge. Vous essayiez de me faire peur. Mais ça ne marchait jamais. Non, jamais. Vous m'entendiez peut-être de loin, mais je vous voyais venir. Je vous voyais toujours venir.

Merci pour les béquilles, j'ai hâte de m'en servir.

Je me souviens, je vous voyais toujours venir, reprend-il en fermant la porte derrière lui.

Puis, on l'entend poursuivre son soliloque en s'éloignant. Par la fenêtre, je le vois descendre vers le village avec ses grands gestes et ses vêtements dépareillés. Pendant ce temps, Matthias reprend sa place dans la chaise à bascule et fixe l'échiquier avec une énergie renouvelée.

Je jette un œil sur le baromètre qui semble vouloir pointer vers le bas malgré le beau temps. Je pense à la soirée dansante qui aura lieu le surlendemain. J'envie Jonas de pouvoir y aller. Si seulement je pouvais marcher, j'irais aussi. Je ne danserais sûrement pas avant d'avoir beaucoup bu, mais entre-temps je croiserais plusieurs visages familiers, j'en apprendrais un peu plus sur ce qui se passe au village et j'en discuterais avec Maria en essayant de la faire rire.

Vas-y, c'est à toi de jouer, s'impatiente Matthias. Vas-y, qu'on en finisse.

Quatre-vingt-seize

Il neige depuis deux jours. On ne voit plus les montagnes qui ondulent au-dessus du village ni la ligne tracée par la forêt. Les flocons se pressent vers le sol et l'immensité du décor se restreint aux murs de la pièce.

Matthias est assis dans la chaise à bascule, plongé dans un livre qu'il a récemment trouvé de l'autre côté. Et l'après-midi se déroule ainsi. Matthias tourne une page de temps à autre, moi je regarde le paysage nous ensevelir, au ralenti. Le vent se lève avec la tombée de la nuit. Les bourrasques agitent les arbres et viennent se frotter sur la véranda. Jonas avait bien vu. D'abord la neige, ensuite le vent.

Plus tard, Matthias dépose son bouquin et se dirige vers le poêle. Il remue la soupe en regardant le fond de la marmite.

Les histoires se répètent, finit-il par prononcer. Nous avons voulu fuir le sort qui nous était réservé et nous voilà engloutis par le cours des choses. Avalés par une baleine. Et, très loin de la surface, nous espérons qu'elle nous recrache sur le rivage. Nous sommes dans le ventre de l'hiver, dans ses entrailles. Et, dans cette obscurité chaude, nous savons qu'on ne peut jamais fuir ce qui nous échoit.

Il fait noir maintenant. La neige tombe toujours, mais elle s'est assombrie. Étrangement, une faible lueur éclaire le bas du ciel. Comme si on avait allumé un lampadaire au village. J'observe cette auréole jaunâtre avec ma longue-vue. C'est un halo indistinct au travers de la tête des arbres, et des flocons soulevés par le vent.

Matthias allume la lampe à huile et sert la soupe.

En vidant mon bol, je remarque que la lumière dans le ciel est devenue plus éclatante. On dirait que les rues du village sont éclairées. On entend aussi les cloches de l'église. Ça doit être pour célébrer la soirée dansante. J'aurais tellement voulu y être et croire, pendant quelques heures, à un retour à la normale.

Cent neuf

La neige et le vent ont cessé subitement, ce matin. Comme une bête qui, sans raison apparente, abandonne une proie pour en chasser une autre. Le silence nous a surpris, dense et pesant, alors que nous avions encore l'impression que les rafales allaient arracher le toit et que nous serions aspirés dans le vide.

Quand on regarde par la fenêtre, on dirait qu'on est en pleine mer. Partout, le vent a soulevé d'immenses lames de neige qui se sont figées au moment même où elles allaient déferler sur nous.

Matthias en a profité pour faire un tour dehors. Dans le tunnel sans fin de ma longue-vue, je le vois qui s'éloigne en marchant sur la neige durcie par le froid. Et sa silhouette rapetisse à mesure qu'il approche de la forêt. On dirait un Roi mage qui avance vers son étoile.

Sur le comptoir, il y a trois boîtes de conserve. Ouvertes et vides. Je sors mon lance-pierre et quelques billes de fer. J'étire le bras, vise et tends l'élastique. Quand je le relâche, la bille fend l'air en sifflant, manque sa cible, rebondit sur le mur et se perd dans le tas de bûches, près du poêle.

Je recommence. Cette fois-ci, je m'assure que mon poignet est bien aligné avec mon bras. Je ferme un œil et décoche mon tir. Une des boîtes de conserve est bruyamment projetée au sol. Ce n'est pas celle que je visais. Mais il me reste des billes.

Matthias revient de sa promenade un peu plus tard en rentrant une brassée de bois.

Quand on regarde la maison de loin, lance-t-il en ouvrant son manteau, on voit toute la neige qui s'est accumulée sur la véranda. Ça donne le vertige.

En s'agenouillant devant le poêle à bois, Matthias remarque les boîtes de conserve renversées sur le sol. Il se retourne vers moi. Je lui montre mon lance-pierre. Il sourit et replace les contenants métalliques sur le comptoir.

Vas-y, me nargue-t-il, montre-moi ce que tu sais faire.

Cent neuf

C'est l'aube. Le soleil n'est pas tout à fait levé, mais le ciel est déjà très clair. La neige brille. Nous buvons du café. Même s'il est toujours un peu plus insipide, nous tenons chacun jalousement notre tasse et le savourons à petites gorgées.

La véranda s'ajuste au froid. Le bois de la structure se raidit. Les fondations serrent les dents. Parfois, des tintements secs résonnent entre les poutres. Ce sont des clous de la toiture qui cèdent sous la pression. Les cheminées du village fument généreusement. Partout, les gens se font réveiller par les caresses glaciales de l'hiver et se dépêchent de faire une première attisée. L'écorce de bouleau produit une fumée blanche qui monte en ligne droite dans l'air immobile. On dirait des colonnes de marbre qui soutiennent le ciel. Comme si nous vivions dans une cathédrale.

Après une longue contemplation, Matthias termine son café d'un trait, se détourne de la fenêtre et commence ses exercices. Il se tient sur une jambe, un bras étiré vers le haut, l'autre à plat sur son abdomen. Il roule les épaules en relâchant ses muscles, puis il s'accroupit et se redresse à plusieurs reprises. Je le regarde s'exécuter en me disant que mon corps a beau se régénérer chaque jour, c'est lui qui a du sang neuf dans les veines.

Soudain, la porte s'ouvre et Joseph apparaît sur le seuil dans un grand nuage de vapeur. Avec ses narines fumantes et sa luge chargée, il ressemble à une bête de somme, lustrée par l'effort. Sa barbe est couverte de givre et des glaçons s'accrochent à sa moustache. Il se libère de son attelage, s'assoit, retire ses gants et souffle dans ses mains. Il tente d'enlever son manteau, mais ses doigts sont paralysés par la morsure du froid et il n'arrive pas à saisir sa fermeture éclair.

Pendant ce temps, Matthias fait chauffer une bouillie d'avoine et commence à défaire le chargement de Joseph.

Cent neuf

Vous savez, raconte Joseph, Jude a organisé une soirée dansante la semaine dernière. Il a branché les générateurs. Tout le monde était là. La musique résonnait partout dans le village. C'était parfait. C'était la fête. Comme dans un rêve. Les gens mangeaient et dansaient. Quand les cloches de l'église ont sonné dans la nuit, on a cru que c'était une blague. Mais quelqu'un a éteint la musique et a dit qu'il y avait un feu de cheminée dans une maison, à côté. Quand on est arrivés sur place, il était trop tard. Le vent s'était levé pour aviver les flammes et la toiture avait pris feu à son tour. Des tourbillons de fumée s'échappaient par les fenêtres. Les cloches de l'église résonnaient encore, mais on les entendait mal, à cause du vent. On a attendu, en regardant le brasier. Avec les bourrasques, la chaleur venait parfois très près de nos visages. Les flammes s'enroulaient autour des corniches, des poutres. Au-dessus de nous, le ciel était orangé, on aurait dit que les rues étaient illuminées à nouveau. Autour, la neige fondait et ruisselait à nos pieds. Vous savez, on était certains que la maison allait brûler en entier. Pourtant, les flammes n'ont mangé qu'une partie du toit et de l'étage. Comme pour s'amuser. Le lendemain, la maison fumait encore, mais il n'y avait plus rien à voir. Rien à part les chevrons calcinés qui chuintaient.

Et les habitants ? intervient Matthias, en jetant un œil à l'endroit où la cheminée du poêle disparaît dans le grenier.

Au début, répond Joseph, on a eu peur. Par chance, il n'y avait personne dans la maison quand le feu s'est déclaré. Durant les jours qui ont suivi, ils ont été relogés. Par contre, quand on a voulu récupérer leurs affaires, tout était noir et empestait la fumée. Vous savez, la fumée sale et collante. Depuis, on a ramoné la plupart des cheminées du village. Avec les grands froids des derniers jours, les gens brûlent tout ce qu'ils peuvent. Parfois, ils perdent le contrôle et les poêles s'emballent.

Joseph marque une pause et passe longuement la main sur son front, sur ses yeux.

Durant la dernière tempête, reprend-il, quelqu'un a volé la motoneige de Jude. Au début, José m'accusait, mais, vous savez, ça n'avait aucun sens. Ils se sont ensuite rendu compte que Jérémie avait disparu. Avec son fils de neuf ans. Tout le monde voulait qu'on se lance à leur recherche, mais la neige avait recouvert leurs traces depuis longtemps. On a plutôt tenté de réconforter la femme de Jérémie, mais elle est inconsolable. José lui a donné des cachets pour dormir. Pour ma part, j'espère seulement que Jérémie a emporté suffisamment d'essence pour se rendre quelque part. Car personne n'ose imaginer la réaction de Jude s'il remet les pieds ici.

Matthias s'avance vers Joseph et lui offre un bol d'avoine qu'il accepte volontiers.

En plus, enchaîne-t-il, plusieurs personnes sont tombées malades ces derniers temps. Certains sont déjà remis, vous savez, mais d'autres ont du mal à récupérer. Dont Judith, qui se chargeait de faire l'école aux enfants, depuis que Jean refuse de s'en occuper. Enfin, Maria fait ce qu'elle peut pour la soigner, mais elle n'est pas magicienne.

Joseph prend de grandes bouchées. Quelques flocons d'avoine restent pris dans sa moustache.

Vous êtes bien ici, finit-il par dire. À l'écart de tout ça.

Matthias l'interrompt aussitôt en lui demandant s'il a pu obtenir du lait. Joseph sourit.

Oui, je suis allé à l'étable ce matin. Avant que tout le monde se lève. Il n'y a pas de système de chauffage là-dedans et, chaque fois, je suis surpris de constater à quel point il y fait bon. Vous savez, les vaches produisent toujours la chaleur dont elles ont besoin. J'aurais pu m'y étendre pour continuer ma nuit. Mais Jonas dormait sur des balles de foin. Il s'est réveillé pendant que je tirais le lait. Il était surpris de me voir, je lui ai dit de faire comme s'il ne m'avait pas vu, puis il s'est recouché.

Matthias jette un œil dans les sacs de nourriture et sort deux gros contenants remplis de lait. Il en ouvre un et prend une gorgée.

Il est vraiment frais, dit-il en s'essuyant sur sa manche, c'est parfait. Merci.

D'ailleurs, poursuit Joseph, les familles qui vivent dans l'ancienne maison du notaire ont préparé de la viande en pots, des pâtés au poisson, plein de choses. Je vous en ai apporté. Il faut en profiter, vous savez. Même s'il y a encore de bonnes réserves, au village, on est de plus en plus stricts avec les rations. Jude insiste pour qu'on prenne des précautions. Une rumeur veut que les habitants d'un village de la côte soient parvenus à se brancher sur une éolienne. Tout le monde se passe le mot en commentant l'affaire. Ce n'est pas impossible. On n'a plus d'électricité, mais, sur le flanc des montagnes, elles tournent toujours, ces machines-là. Certains parlent déjà d'aller les rejoindre. Par contre, si on se fie à tout ce que le monde dit, la panne devrait être terminée depuis longtemps et on devrait tous être en train de regarder la télévision, avec une bière froide et un repas instantané chauffé au micro-ondes.

Joseph soupire en sortant sa blague à tabac. Il roule une cigarette, l'allume et tire de longues bouffées. Il parle encore, mais je ne suis plus vraiment attentif. Je regarde les volutes de fumée s'échapper lentement de sa bouche.

Tu en veux une ? me demande-t-il.

Avec plaisir, dis-je prestement.

Joseph penche la tête vers moi avec étonnement.

Tu parles maintenant ? Quelle belle nouvelle !

Je lui souris.

Nous fumons pendant que Matthias est absorbé par le classement des vivres.

Des nouvelles de mes oncles ? finis-je par formuler, étourdi par le tabac.

Je suis allé jeter un coup d'œil chez eux, répond Joseph. Il n'y avait aucun véhicule dans les garages, les canots n'étaient plus là et chaque pièce a été soigneusement vidée. Tes oncles et tes tantes ont tout emporté. Les vivres, les outils, les vêtements. Tout ce qui peut être utile. Mais j'ai tout de même trouvé ça, précise-t-il en sortant une espèce de dépliant de la poche intérieure de son manteau. C'est une carte de la région. Ça peut toujours servir.

Je la prends en le remerciant. En même temps, je me demande si mes oncles et mes tantes avaient réellement l'intention de revenir au village. Peut-être sont-ils partis, un point c'est tout. À moins qu'il leur soit arrivé quelque chose.

J'allais oublier la bonne nouvelle, ajoute soudainement Joseph. Il y a eu un accouchement au village. Malgré les craintes de plusieurs, tout s'est déroulé normalement. Maria était là. Elle n'est pas magicienne, mais, vous savez, il lui arrive de faire des miracles. Elle a assisté à la naissance d'une petite fille : Joëlle. Le premier enfant de la panne. On ne connaît pas le père, mais Jenny, la mère, habite dans la maison de la scierie, c'est grand et ils sont nombreux là-dedans, elle est bien entourée.

Joseph se lève et referme son manteau.

La prochaine fois, je vais en profiter pour déneiger le toit, déclare-t-il. Avec la neige des derniers jours, ça commence à faire beaucoup.

Oui, renchérit Matthias, je voulais justement t'en parler.

Vous m'y ferez penser quand je reviendrai. Pour l'instant, je dois retourner en bas. Maria m'attend. Je lui ai promis que je l'amènerais à la pêche sur la glace.

Joseph nous salue et la porte se referme derrière lui comme si elle avait été claquée par un coup de vent.

Cent neuf

Matthias achève de trier les vivres apportés par Joseph. Il examine d'un œil sévère les plats préparés. Il bougonne et grommelle que c'est lui qui fait la cuisine ici, mais il range tout précieusement.

C'est vrai, calcule-t-il, on a coupé dans les rations.

Puis, il verse le lait dans la marmite qui nous sert à faire fondre la neige et le place sur le poêle.

Il faut que ça tiédisse. Il faut que ça tiédisse sans bouillir, précise-t-il en ajoutant la présure.

Il remue un moment, puis retire le contenant du feu. Maintenant, il faut attendre.

Nous jouons quelques parties d'échecs en mangeant le restant de la bouillie d'avoine. Matthias gagne toutes les joutes. Je me moque en lui disant que je lui laisse des chances. Il lève le menton vers moi, plisse les yeux, mais n'ajoute rien.

Il va vers le poêle, agite une cuillère dans la marmite. Ça sent le lait caillé. Il verse le contenu dans un filtre fait avec un cintre en métal et un bout de tissu. Puis, la mixture blanchâtre commence à s'égoutter tranquillement.

J'insiste.

Je te laisse gagner chaque fois. Tu le sais.

Matthias reste impassible. Il dissimule à peine un rictus, en me disant que je raconte n'importe quoi, que je dois avoir un regain de fièvre. Je souris à mon tour et je sors la carte que Joseph m'a donnée.

J'observe longuement les dénivellations, les plateaux, le lit des rivières. Je repère les villages côtiers en haut de la carte, puis le nôtre, plus bas, cerné par les vallons. Plus loin, il y a le lac où nous allions pêcher, enfants. On voit distinctement les deux routes principales. Celle qui longe la côte et celle qui traverse l'intérieur des terres. On voit aussi le tracé des chemins forestiers, en pointillé, qui s'enfoncent dans le creux des vallées. Ici et là, des signes d'herbes hautes indiquent les zones marécageuses. Le reste, c'est de la forêt.

Je jette un coup d'œil à la légende, en marge.

C'est immense.

Certains secteurs d'une rivière ont été identifiés à la main. Je me rappelle avoir entendu ces noms, mais je ne les démêle pas. Le camp de chasse de mes oncles ne doit pas être loin, dans le creux d'un méandre, au milieu des cèdres centenaires. Je m'en souviens très bien, mais je n'arrive pas à le replacer sur la carte.

C'est là, me dis-je soudainement en posant mon index sur un petit x tracé au crayon de plomb, c'est là.

Lorsque je lève la tête, Matthias examine le contenu de son installation.

La texture est belle, déclare-t-il avec satisfaction. Ça commence à ressembler à du fromage.

Cent treize

Cette nuit, j'ai de nouveau entendu la petite bête. J'ai reconnu ses pas discrets, ses gestes furtifs et son intérêt pour la nourriture dans le garde-manger. Par moments, elle s'arrêtait pour tendre l'oreille, puis elle repartait probablement de l'autre côté, avec des parts de nos provisions. On aurait dit qu'elle constituait méticuleusement ses réserves en vue des temps à venir.

Aux premières lueurs, Matthias décroche son filtre et presse la pâte blanche pour la vider de son eau, il ajoute du sel, puis il forme six boules, grosses comme un poing, qu'il aplatit avec précaution. Sur le poêle, dans une vieille casserole, il fait fondre des restants de chandelles. Il observe les morceaux se liquéfier en retirant les bouts de mèche et les allumettes noircies. Après, il verse la cire chaude sur ses fromages en veillant à les recouvrir entièrement.

C'est l'un des meilleurs modes de conservation, spécifie-t-il en se tournant vers moi.

Je hoche la tête sans rien dire et montre le jeu d'échecs.

Je n'ai pas le temps, réplique Matthias, je dois descendre au village.

Il dispose soigneusement les fromages enrobés de cire dans un sac en tissu, il me donne une conserve de fèves au lard avec une tranche de pain noir, il bourre le poêle et il s'habille à la hâte.

On se voit plus tard, lance-t-il en prenant ses raquettes.

Puis, il quitte la pièce précipitamment.

Dehors, une neige affamée s'empresse de rejoindre le sol.

Cent dix-sept

Il doit être près de midi. Le froid semble avoir desserré son emprise sur le paysage, pour reprendre des forces. En attendant, la neige continue de tomber sans que rien puisse l'arrêter. Les flocons sont larges et délicats. On dirait qu'ils ont été découpés dans du papier.

Dans le poêle, les dernières braises s'éteignent. Déjà, je sens le froid se glisser sous ma fenêtre. Les courants d'air me tournent autour et me frôlent en insistant pour me rejoindre sous les couvertures.

Maria a dit que je pourrais bientôt me tenir debout. Ma jambe gauche est encore fragile, mais, avec les béquilles, je devrais parvenir à me déplacer seul. Et c'est moi qui lui ouvrirai la porte lors de sa prochaine visite.

J'arrive à me redresser, puis à m'asseoir sur le bord de mon lit. Mes jambes pendent dans le vide. Je pense à la suite des choses en sondant le précipice devant moi. La gravité me tire vers le sol. Sous mes attelles, on dirait que mes cuisses et mes mollets se sont fossilisés dans l'immobilité. Que mes muscles tiennent autour de mes os comme de la chair dédaignée par les charognards.

Tu es maigre et sec. Tu ne pèses rien. Tu arriveras bien à faire quelques pas. Tu y arriveras bien, me dis-je à voix haute, tu es encore en vie, tu n'as pas le choix. Tu dois marcher.

Je pourrais me rendre à la chaise. Ou au divan. La chaise est plus proche, mais les béquilles sont derrière le divan. Je devrais y arriver, même si je dois sautiller sur ma jambe droite au lieu de mettre un pied devant l'autre.

Je n'ai qu'à descendre de mon lit et à tenter de prendre appui sur la table. C'est simple. Je n'ai qu'à faire attention à ne pas perdre l'équilibre. Ça serait bête de me brûler sur le poêle.

Pendant un instant, tout cela me paraît insurmontable et j'envisage de me recoucher. Puis j'inspire, resserre mes attelles et me laisse choir jusqu'au sol. Lentement. Très lentement, comme dans l'eau glacée d'un lac au début de l'été.

Mes orteils touchent le sol. J'agrippe fermement les draps du lit, mais ils glissent avec moi. Je sens mon cœur s'emballer. Mes jambes se raidissent et une décharge électrique traverse la moelle de mes os. Le sang circule lourdement dans mes veines en faisant de pénibles allers-retours entre mes pieds et ma tête. Ça y est, je suis debout. Je parviens à faire glisser mes pieds sur le plancher. Je sens la sueur perler sur mes tempes. La table est tout près de moi. Je n'ai qu'à supporter mon corps le temps de changer d'appui. Je me hasarde à mettre un peu plus de pression sur ma jambe gauche. Je tends un bras vers la table. J'y suis presque. Je m'étire encore. Je contiens ma douleur. Ce n'est rien, ce n'est rien. Je me cambre. Ma main tremble devant moi comme si je tentais de faire bouger les meubles par la force de ma pensée. L'engourdissement me gagne. La chaise me paraît à des kilomètres derrière la table. Ma vision est minée par de larges points noirs. Et mes genoux flanchent.

Cent dix-sept

Le sol est sale et froid. De la boue, de la poussière, quelques morceaux d'écorce, des pelures d'oignon. Les planches sont grises sous le vernis écaillé. Je ne sais pas depuis combien de temps je suis étendu là. Quelques minutes. Quelques heures. Dehors il fait encore jour, mais Matthias n'est toujours pas rentré.

Je ne peux pas rester comme ça, par terre. Je regarde autour de moi. Je m'appuie sur les coudes et je rampe vers le divan. Mes jambes suivent derrière moi comme un long manteau alourdi par de la vase. Je progresse lentement. On dirait que je m'enfonce plus que je n'avance. Je guette la porte avec une crainte qui appartient aux animaux sauvages. Celle de se faire surprendre dans un moment de vulnérabilité.

Je ne voudrais pas que Maria me voie dans cet état.

Je parviens au pied du divan. J'ai le souffle court et les coudes endoloris. Je me hisse avec peine sur les coussins usés. J'installe mes jambes bien à plat devant moi. Sous mon attelle, je remarque que le pansement de ma jambe gauche est imbibé de sang. Je saisis la courtepointe de Matthias et recouvre le bas de mon corps.

Je suis vidé. Comme si une partie de moi était restée au sol. Il faudrait peut-être que je mange quelque chose, mais la boîte de fèves au lard est loin désormais.

Je ferme les paupières un instant.

Puis plus rien.

Cent vingt-six

Je me réveille en sursaut. Il fait noir. Matthias dépose un sac sur la table, secoue la neige sur ses épaules et allume la lampe à huile.

Quand il se retourne, il constate que mon lit est vide. Sa mâchoire inférieure se crispe et une veine apparaît sur son front. Puis, dès qu'il m'aperçoit, allongé sur le divan, il lève les yeux et s'avance vers moi. Il glisse un bras dans mon dos et l'autre derrière mes genoux et me transporte vers mon lit comme on le fait avec les enfants endormis. Ou les mourants. Je tente de dissimuler mon pansement ensanglanté, mais Matthias le remarque tout de suite. Il ne dit rien, mais il l'a vu. Il remonte mes couvertures, me conseille de dormir, puis il disparaît de l'autre côté avec une chandelle et le sac qu'il avait déposé sur la table.

Je fixe le plafond comme si je surplombais un gouffre. La douleur est un oiseau de proie qui me tient dans ses serres.

J'ai l'impression d'avoir fait un pas en avant. Et deux en arrière.

Cent trente-quatre

Il y a quelqu'un sur le pas de la porte. Je me redresse dans mon lit. Je regarde sur le divan, dans la chaise à bascule, Matthias n'est pas là. J'entends le déclic de la poignée et Maria apparaît dans l'embrasure de la porte. Elle me sourit et fait quelques pas vers moi. C'est le matin et le soleil inonde la pièce. Je repousse mes couvertures, défais mes attelles et me lève d'un bond. Ses yeux irradient la pièce. J'avance vers elle, la débarrasse de son manteau rouge et pose une main autour de sa taille. Nous nous embrassons. Ses lèvres sont chaudes. Nos fronts se touchent et nos corps s'enroulent l'un à l'autre. Je la soulève doucement, elle s'agrippe à moi, puis s'allonge sur la table de la cuisine. Nos vêtements tombent par terre sans offrir de résistance. Elle s'empare de mes mains et les pose sur ses hanches, les promène sur son corps. J'embrasse son cou, sa peau est douce et légèrement salée. Je suis debout entre ses jambes, impatient, énergique et désireux. Nos regards ont soif. Je la prends, elle se cambre, et plus rien n'existe autour de nous.

Quand je m'éveille, une marmite mijote sur le poêle à bois. Ça sent la viande et les légumes bouillis. Dès qu'il voit que j'ai les yeux ouverts, Matthias approche le tabouret et s'assoit en face de moi comme si nous nous apprêtions à jouer une partie d'échecs. Mais c'est pour changer mes pansements.

Je cache mon érection sous les couvertures. Mon rêve est à la fois très près et très loin de moi. Ma jambe gauche élance sérieusement.

Il défait mon bandage, nettoie le sang séché, désinfecte la plaie et la referme avec des pansements de rapprochement.

Par chance, on dirait que l'attelle a tenu tes os en place, lance Matthias.

Dehors, le soleil frappe la neige à pleines mains. Le ciel est vif et le baromètre se dresse vers lui. Devant la fenêtre, les glaçons sont menaçants et la neige monte sans cesse. On dirait une bouche qui se referme.

Je suis complètement épuisé. J'ai l'impression que je ne pourrai plus jamais me lever. Si l'hiver n'a pas raison de moi, ça sera autre chose. Je ne suis plus capable de rien. À part échanger quelques répliques, regarder par la fenêtre et espérer. Ça ne fait pas beaucoup de choses auxquelles s'accrocher.

En attrapant la paire de béquilles derrière le divan, Matthias me somme de me redresser.

C'est ce que tu voulais, non ? Alors, il va falloir que tu reprennes des forces.

Je regarde ces deux bouts de bois qui tiennent avec de petits papillons de métal.

Allez, on va faire des exercices.

Matthias me soulève par les aisselles.

Allez, un peu de volonté. Il faut de bons bras pour se déplacer en béquilles. Tiens-toi droit. Et fais comme moi.

Matthias commence en traçant de grands cercles avec sa tête, en allongeant les bras sur les côtés et en respirant profondément. Je l'imite comme je le peux, assis sur le bord de mon lit. Il replie les coudes, joint ses mains derrière son dos et incline le tronc vers l'avant.

Il faut tenir la pose, m'explique-t-il. Il faut la tenir et la pousser. Tu dois sentir ton corps, tu dois te centrer sur lui et insister quand ça fait mal.

Nous reprenons la suite de mouvements à quelques reprises, jusqu'à ce que ça cogne à la porte. Matthias se retourne. Ça cogne encore.

On n'a pas fini, me prévient-il avant d'aller ouvrir.

Pendant un instant, j'espère que ce sera Maria, mais je déchante aussitôt que Matthias invite le visiteur à entrer. Celui-ci franchit le seuil, accote son fusil sur le mur et dépose deux lièvres sur la table. Matthias et moi échangeons un regard. Ni lui ni moi ne connaissons cet homme.

C'est pour vous, lance le visiteur en montrant les lièvres.

Matthias fixe les dépouilles comme s'il craignait qu'elles se remettent à courir.

Merci, balbutie Matthias, merci beaucoup. Vous voulez du café ?

Le visiteur accepte d'un hochement de tête et, dès que Matthias se retourne, il dirige toute son attention sur moi.

Il a les cheveux poivre et sel et la barbe un peu rousse. La peau de son visage est usée par le soleil, par le froid. Il semble trapu et doit avoir une cinquantaine d'années. Ou un peu plus. Derrière lui, son fusil brille.

Je m'appelle Jean, dit le visiteur. On s'est rencontrés quelques fois, mais ça fait longtemps. À l'époque, je travaillais à l'école, avec ta mère.

C'est vrai. Même si son nom n'éveille aucun de mes souvenirs, son visage m'est familier.

Matthias sert le café.

J'ai connu ton père aussi, affirme-t-il. Tout le monde le connaissait. Je suis navré de ce qui lui est arrivé. On le voyait rarement durant les dernières années. Son garage était devenu un foutoir incroyable et il ne faisait plus le service aux pompes. Certains disaient qu'il perdait la tête, moi je crois qu'il se sentait seul.

Adossé au comptoir, Matthias reste discret.

On a tous été surpris d'apprendre que tu étais de retour, relance Jean sur un autre ton. Et je suis heureux de voir que tu te rétablis. Maria nous a dit que tu serais bientôt sur pied.

Jean prend une grande gorgée de café et regarde sa montre.

En fait, je viens pour te demander une chose bien précise, lance-t-il, on aurait besoin d'un mécanicien.

Je me fige et attends la suite.

Au début, on avait pensé à Joseph. Il sait faire un peu de tout. Mais certains ne le supportent pas très bien et on ne sait jamais où le trouver ni dans quelle maison il dort. Il n'en fait qu'à sa tête. Et il n'a pas ton expérience. Avant il y avait ton père, maintenant tu es le seul mécanicien du coin.

Mon cœur palpite. Je fixe Jean en cherchant le fil de ma pensée.

Qu'est-ce qu'il y a à faire, au juste ?

On veut poser des chenilles sur un minibus. Pour qu'il puisse aller sur la neige. On aura bientôt trouvé tout ce qu'il nous faut, les pièces, les outils, la soudeuse. On s'est installés dans l'un des entrepôts de la mine. Quand on démarre les générateurs, il y fait clair comme en plein jour. C'est un bel espace de travail. Et on aurait besoin de quelqu'un comme toi.

Je ne sais pas si je serai en état, dis-je après m'être éclairci la gorge.

On te trouvera un fauteuil roulant s'il le faut. Tu n'auras qu'à nous montrer comment nous y prendre et à guider les travaux. Dès que tu pourras te lever et faire quelques pas, ça sera suffisant. Je viendrai te chercher. Qu'en dis-tu ?

La perspective de me remettre à la mécanique m'ébranle un instant. Surpris qu'on ait besoin de moi, j'accepte sans autre considération.

Matthias s'assoit à la table en cherchant le regard de Jean. Il frétille.

Et c'est pour quoi faire, ce minibus ? Vous préparez l'expédition ? Vous comptez partir avant le printemps ?

Jean se frotte la barbe.

C'est exact, on se prépare, par contre on est loin de savoir quand on pourra partir.

Si je peux faire quoi que ce soit pour vous aider, vous me le dites, propose Matthias d'emblée. On m'a promis une place dans cette expédition, je compte bien m'impliquer.

Oui, mais pour l'instant, le principal, c'est que vous continuiez à vous occuper de lui, répond Jean en pointant le menton vers moi.

Je dois retourner en ville, insiste Matthias, ma femme est là-bas.

Pendant un instant, j'entrevois les artères de la ville, complètement bouchées par des embouteillages de voitures abandonnées.

Oui, je comprends, répète Jean, visiblement agacé. Avez-vous su les dernières nouvelles ? enchaîne-t-il, comme s'il voulait changer de sujet.

Matthias et moi inclinons la tête vers lui avec curiosité.

Il y a quelques jours, trois personnes sont arrivées au village pendant la nuit. Aucun de nous ne les connaissait. Ils étaient affamés et couverts d'engelures. On les a accueillis et soignés. Ils nous ont raconté qu'ils habitaient un village de la côte. Qu'ils étaient bien organisés, mais il y a eu du pillage et la situation s'est vite envenimée. Ils ont dû fuir. Leur motoneige est tombée en panne à trois jours de marche d'ici. Ils disent qu'ils étaient quatre au départ, l'un d'entre eux est mort de froid, en cours de route. Jude leur a assigné une maison, par contre il veut qu'on les garde à l'œil. Il se méfie, car ils ont un accent qui ne vient pas du coin.

Qu'ont-ils dit d'autre ? demande Matthias, l'air intrigué. Savent-ils ce qui se passe ailleurs ? En ville ? Savent-ils si l'électricité a été rétablie quelque part ?

Ils nous ont conté leur histoire à quelques reprises quand ils sont arrivés, mais depuis ils ne sont pas très bavards.

C'est bien normal, établis-je.

Jean approuve en inclinant la tête.

En attendant, reprend-il, les réserves commencent à baisser au village. Jude a demandé à tout le monde de faire un effort, puis on a convenu de resserrer encore les rations. Ça va déplaire à certains, mais c'est comme ça. De toute façon, ça n'empêche personne de faire comme moi et de poser des collets à lièvre.

Jean se relève, il glisse la bandoulière de son arme sur son épaule et m'incite à me reposer pour reprendre des forces.

Je dois aussi vous dire qu'il y a une mauvaise grippe qui court au village. Vous vivez à l'écart, mais faites tout de même attention. Les médicaments commencent aussi à manquer, ça complique les choses.

Alors que Jean fait un pas vers la porte, Matthias le remercie pour les lièvres. Jean répond que ça lui fait plaisir. Qu'il nous en rapportera. Puis, en jetant un dernier coup d'œil dans ma direction, il répète qu'il viendra me chercher, dès qu'ils auront rassemblé tout le matériel.

Ne vous en faites pas, ajoute Matthias, il sera sur pied.

Cent trente-quatre

Matthias relève ses manches et dépose les lièvres sur le comptoir.

Je ne sais pas si je me rappelle comment m'y prendre, admet-il en retournant les lièvres raidis par le froid et la mort. Mon père en cuisinait sur les chantiers, à l'époque, mais ça fait longtemps.

Moi, je m'en souviens. Souvent, mes oncles me demandaient d'arranger leurs lièvres. Il faut arracher délicatement la peau derrière les jarrets. Puis, en tenant les pattes arrière dans une main, il suffit de tirer sur la fourrure retournée.

Pendant que je pèle des patates, Matthias s'acharne pour retirer la peau au complet car la chair est encore gelée. Après, il sectionne la tête d'un petit coup de hache, ouvre la panse et vide les entrailles. Ça sent fort, les viscères. Une odeur de sang et de forêt après la pluie. En détournant la tête, Matthias me demande si je serai en mesure de leur donner un coup de main, pour l'expédition.

On verra, dis-je, mais je l'espère bien. Je suis même prêt à faire tes exercices, si ça peut m'aider à récupérer plus vite.

Je ne parle pas de ça, enchaîne-t-il, mais de mécanique, de poser des chenilles sur un minibus. Tu es capable de faire ça ?

Pendant les dix dernières années, je réparais des camions-bennes plus gros que des maisons. Convertir un minibus en motoneige, si j'ai les bonnes pièces, les bons outils et de l'électricité, ce sera un jeu d'enfant. Je sais faire autre chose que peler des patates, tu sais.

Matthias découpe les lièvres en morceaux et met le tout dans une marmite avec de l'huile et des légumes.

De toute façon, tu n'as pas vraiment le choix, remarque-t-il soudainement. Tu nous dois bien ça, à moi et aux autres. Après tout, on t'a sauvé la vie. Et on dirait que je ne suis pas le seul à vouloir aller en ville avant la fonte des neiges. Ça serait parfait. Je pourrais retourner auprès de ma femme. Attendre le printemps, ça n'a pas de sens, la neige n'en finit pas de tomber et, à mon âge, tu sais, si on a tout notre temps, c'est qu'il n'en reste plus beaucoup.

Je reste songeur. Dehors, l'horizon a englouti le soleil. Le ciel est encore clair, mais la lumière faiblit.

Pendant que le repas cuit sur le feu, on joue une partie d'échecs. Matthias l'emporte, comme d'habitude. Satisfait, il ne m'accorde aucune revanche et se retire dans sa chaise à bascule avec un bouquin.

Après un moment, je lui demande ce que Jacques lui a offert en échange des fromages.

Ma question le surprend, il laisse tomber son livre sur ses genoux, puis dit que Jacques lui a proposé de choisir un truc dans l'inventaire de sa boutique.

132

Et qu'est-ce que tu as pris ?

Matthias hésite un moment.

Une arme.

Une arme ?

Oui, pour me défendre, si jamais…

Et tu sais t'en servir ?

Jacques m'a montré.

Je n'ajoute rien et jette un coup d'œil par la fenêtre. Dans le ciel, il ne reste plus, au-dessus des montagnes, qu'une ligne blanche sur laquelle s'est allongé le bleu de la nuit.

Un peu plus tard quand Matthias met le plat sur la table, une odeur alléchante emplit la pièce. Je me lève en m'appuyant sur mes béquilles et parviens presque sans aide à me rendre jusqu'à la chaise. Malgré mes protestations, Matthias insiste pour assurer mon équilibre lorsque je tente de m'asseoir. Ça ne compte pas.

La viande est dorée et baigne dans un jus sirupeux. Avant de me servir, Matthias joint les mains en fermant les yeux. Cette fois, ça ne dure qu'un instant et il se dépêche de plonger la cuillère dans la marmite.

Il faut faire attention, me met-il en garde, c'est plein de petits os, ces bêtes-là.

Nous mangeons avec appétit. Nous défaisons la chair avec nos mains, la sauce dégoutte partout et colle sur nos barbes.

Pour que ça soit tendre et que les saveurs sortent, dit-il la bouche pleine, il faut que ça cuise longtemps.

Je rigole un instant et lui fais signe de me resservir. Matthias se penche vers le plat en se léchant les doigts. Soudain, il se fige en émettant un râlement étrange. Je lève la tête. Ses yeux sont écarquillés comme s'il venait d'apercevoir un spectre. Il se dresse en renversant sa chaise et porte les mains à sa gorge. Son regard arpente la pièce en vitesse. Sa bouche s'ouvre sans aucun son. Il se frappe la poitrine à deux mains. De grosses gouttes de salive pendent sur sa lèvre inférieure. Les veines de son cou se gonflent. Je tente d'aller vers lui en m'appuyant sur ma jambe droite et en m'agrippant à la table. Son visage bleuit. Ses pupilles deviennent très larges et très noires. J'essaie de capter son attention en me rapprochant de lui. Il s'agite dans tous les sens. Je lui crie de ne pas bouger. On dirait qu'il n'entend pas. Ses mains s'ouvrent et se ferment comme s'il cherchait à s'accrocher à quelque chose. Il se frappe la poitrine avec des gestes désarticulés. Je sais qu'il existe une manœuvre à faire dans ce genre de situation, il faut se tenir derrière la personne et exercer une pression sur son ventre. Mais je suis encore si faible, je ne suis pas certain d'y parvenir.

Reste devant moi, dis-je, paniqué, Matthias, regarde-moi ! Reste là ! Ne bouge pas !

Je lui assène alors un puissant coup de poing dans l'estomac. Il encaisse le coup en pliant, mais il ne se passe rien. Dès qu'il se relève, je récidive avec plus de force. Je sens mes jointures s'enfoncer dans son ventre maigre et se frayer un chemin jusqu'à son diaphragme. Un petit os sort de sa bouche comme un projectile et Matthias s'écroule par terre en soufflant.

Pendant les deux ou trois secondes qui suivent, c'est le silence total. Puis, il inspire bruyamment. Il tousse, il vomit et son corps est secoué de spasmes.

Je soupire de soulagement et m'aperçois que je me tiens debout, droit comme une fusée, pour une première fois. Pendant ce temps, à mes pieds, Matthias ressemble à une vieille locomotive à vapeur qui peine à se remettre en marche.

Cent trente-huit

Des cristaux de neige longent la silhouette fuselée des arbres. Ils tombent en ligne droite dans un mouvement continu, léger et pesant à la fois. La neige grimpe jusqu'au bas de ma fenêtre et se presse contre la vitre. On croirait que le niveau d'eau monte dans une pièce sans issue.

Avec ma longue-vue, j'ai vu qu'un animal s'est approché de la maison. Rien de bien gros. Un renard. Un lynx peut-être. Enfin, une bête qui est venue dévorer les restants de lièvres que Matthias a jetés dehors, hier soir, après s'être relevé de sa mésaventure. Les traces sont fraîches, mais, bientôt, la neige aura tout recouvert. Entre les arbres, je devine quelques maisons, avec toute cette neige on dirait qu'elles rapetissent de jour en jour. Qu'elles s'enfoncent. Je guette le village pendant un bon moment. Rien ne bouge pourtant. Maria ne se promène pas d'une maison à l'autre pour soigner les gens, Joseph n'est pas en train d'effectuer des réparations et personne ne semble en route pour venir me chercher.

Quand il s'est réveillé, à l'aube, Matthias était sur pied comme s'il n'était rien arrivé. Il a fait ses exercices, lavé la vaisselle et préparé du pain noir. Mais quelque chose s'est assombri dans son visage.

Nous avons entamé une partie d'échecs il y a plus d'une heure et elle n'est pas encore terminée. Chaque fois que c'est à son tour, Matthias évalue longuement toutes les possibilités. On dirait un combattant affaibli qui n'ose plus se fier à son instinct.

La pièce est silencieuse. On n'entend que le ronchonnement du poêle. J'interroge les lignes dans le creux de mes mains, sachant très bien que rien ni personne ne peut nous aider à prédire notre sort. À côté de mon lit, la partie d'échecs retient sa respiration. Même s'il n'est pas dans son assiette, Matthias finira par me coincer et remporter la joute. C'est ma seule certitude en ce moment.

Cent quarante-sept

Depuis quelques jours, je sens que mon corps s'ajuste à sa nouvelle réalité. Mes bras retrouvent leur force. Mes épaules se tonifient. Quand j'enlève mes attelles, mes jambes plient de mieux en mieux. Il n'y a que la plaie sur ma jambe gauche qui ne soit pas totalement refermée. La douleur se dissipe peu à peu, mais l'inconfort et l'engourdissement demeurent.

Néanmoins, avec mes béquilles, je peux me déplacer en m'appuyant, en me soulevant, en me balançant. Comme un oiseau blessé, j'arrive à me mouvoir. Pas longtemps mais un peu. Même si je chancelle, je peux désormais aller uriner seul. Et, quand je suis en forme, j'arrive à compléter quelques allers-retours dans la pièce.

Nous jouons encore aux échecs. Matthias ne dit rien. Moi, je me retiens pour ne pas crier. Je viens de le coincer. Son roi est pris entre mon fou et mon cavalier. C'est l'impasse.

Dès qu'il s'en aperçoit, il lève les yeux vers moi. Il sourit un instant, puis son regard se ferme comme une porte qui claque. Il range le jeu d'échecs, replace sa chaise à bascule près du poêle et met de la neige à fondre dans une marmite.

Je tourne la tête vers la fenêtre. Le ciel est impatient. Le baromètre pointe vers le bas. Quelques flocons sont suspendus dans les airs, comme s'ils attendaient des renforts avant de se jeter sur nous.

Matthias soupire.

Je n'ai plus rien à faire ici, dit-il, tu t'en sors peut-être un peu mieux chaque jour, mais moi, je m'enfonce. Ma femme m'attend, je le sais, je le sens. Elle m'attend et je ne peux rien faire, sinon m'occuper de toi et regarder la neige tomber.

Matthias retire l'eau qui bout sur le poêle, mais, dès qu'il soulève la marmite, une des poignées lui reste entre les mains et tout se renverse par terre dans un nuage de vapeur. Quand la nuée se dissipe, Matthias apparaît comme un phare immense au-dessus des écueils. Un phare immense et désuet. Pendant un instant, son visage et ses poings se crispent comme s'il essayait de se contenir. Puis, il assène un violent coup de pied sur le récipient qui s'écrase bruyamment dans le coin de la pièce.

Ce n'est rien, lance-t-il aussitôt, avant même que j'aie le temps de réagir, ce n'est rien.

L'une de ses cuisses est trempée et fume encore. Matthias sort en boitant, baisse son pantalon et applique une compresse de neige sur sa brûlure. Lorsqu'il revient à la véranda, il me demande de l'aider à panser sa cuisse.

Pendant que j'empoigne mes béquilles et me rends jusqu'à la table, Matthias m'explique en détail comment je dois procéder.

Ça va, ça va, lui dis-je, je sais comment faire un bandage, je t'ai vu assez de fois changer les miens.

Il a eu de la chance. Sa brûlure semble superficielle. Sa peau est rouge et suintante, mais il n'y a pas d'ampoule. Pas encore. Pour l'instant ça doit être sensible, mais, dans deux semaines, on ne verra plus rien.

Pour déjeuner, nous mangeons des œufs durs, en silence, chacun dans notre coquille. Plus tard dans la journée, Matthias va de l'autre côté et revient avec un coffre à outils. Il le dépose sur la table à côté de la marmite bosselée et me prie de réparer la poignée qui a cédé. Je tire alors le coffre vers moi et l'ouvre. Les charnières émettent un léger grincement. À l'intérieur, les outils scintillent. Les clés anglaises, le marteau, les pinces, tous les outils brillent comme des pièces d'or exhumées d'un tombeau royal. Matthias observe ma réaction avec un grand sérieux.

Ce n'est pas ça qui te permettra de réparer un camion-benne, indique-t-il, ou de modifier un minibus, mais c'est assez pour voir si tu aimes encore ton métier. Et c'est peut-être ça qui va nous sauver. Toi, tu ne seras plus seulement un estropié et moi, je pourrai retourner en ville.

Je n'ajoute rien. Mais, en réparant la poignée de la marmite, j'ai l'intime conviction que, peu importe le sens de chacune de nos actions, l'ensemble de nos faits et gestes s'avère dérisoire.

Cent cinquante et un

C'est une journée très claire. Le ciel est profond. Pas le moindre vent.

Matthias est dans la chaise à bascule. Il tient un livre, mais il ne l'a pas ouvert. Moi, je m'exerce à tenir en équilibre avec mes béquilles. Soudain, on entend le son aigu d'un moteur. Matthias se lève et nous nous dirigeons tous les deux vers la fenêtre. Une motoneige gravit la côte et vient dans notre direction. Quelques instants plus tard, la porte s'ouvre en coup de vent et Joseph apparaît avec des sacs et des boîtes plein les bras. Matthias s'habille en vitesse pour décharger les affaires avec lui.

Je voudrais bien aider moi aussi, seulement, avec mes béquilles, je ne peux rien faire à part me traîner d'un endroit à l'autre.

Quand ils reviennent à l'intérieur en déposant les derniers paquets, Joseph affirme que ça ne sert à rien de pelleter le toit. Matthias se retourne vers lui, interdit.

Ça prendrait deux jours, pelleter ça, explique-t-il, et ça serait sûrement à refaire dans quelque temps. Je vais plutôt mettre des renforts sous les poutres du plafond, vous savez, comme on en installe dans les camps de chasse avant chaque hiver. C'est ce qu'il y a de mieux.

Pendant qu'il parle, je remarque les deux pansements de rapprochement sur son arcade sourcilière. C'est exactement ce que j'ai sur ma jambe gauche, mais en plus petit.

Je dois trouver du bois pour faire les renforts. Et je vais avoir besoin d'un coup de main, continue Joseph en me montrant du doigt. Tu viens ? Ça ne te fera pas de tort, j'en suis certain.

Je m'agite sur mes béquilles en sentant une joie soudaine monter en moi.

Vas-y, prends mon manteau et mes bottes, me propose Matthias en ouvrant une des nombreuses boîtes de victuailles.

Avec un certain empressement, Joseph m'aide à revêtir l'attirail de Matthias. Dès que c'est fait, il me donne mes béquilles et nous sortons.

C'est la première fois que je mets le nez dehors depuis le début de l'hiver. La neige est éclatante.

En disant cela, je fais un premier pas et la pointe de mes béquilles s'enfonce aussitôt dans la neige. Je tombe la tête la première devant l'entrée. Joseph se moque un instant, puis il se penche vers moi, me prend dans ses bras et m'installe derrière lui sur sa motoneige jaune.

Tiens-toi bien, lance-t-il.

Le moteur démarre en un claquement de doigts. Et nous sommes partis. Je jette un œil en arrière. Je croise le regard de Matthias qui nous regarde nous éloigner avant de refermer la porte. D'ici, l'autre côté de la maison paraît énorme en comparaison de la véranda submergée par la neige.

L'air froid est vif. Il fait coller mes cils, mes narines. Il me brûle les poumons. Nous approchons de la ligne de la forêt. Elle est plus imposante encore que je l'imaginais. Nous empruntons un sentier qui plonge sous les arbres. Le passage est entièrement vierge, lisse et blanc. Les épinettes de chaque côté ploient jusqu'au sol. Dans les virages, Joseph appuie sur l'accélérateur pour que l'engin ne s'enfonce pas lourdement ni ne creuse son propre piège dans les sables mouvants de la neige. Nous débouchons sur une éclaircie. Je reconnais cet endroit. Joseph ralentit et immobilise la motoneige sur un monticule durci par le vent.

Devant nous, il y a des cibles clouées sur des troncs d'arbres. Nous sommes au champ de tir, au pied de la montagne. À quelques kilomètres du village.

Le silence de l'hiver est assourdissant.

Joseph sort une bouteille de son manteau, il en prend une grande rasade et me l'offre.

Tu sais, commence-t-il en se tournant vers moi, c'est ici que nos pères et nos oncles venaient ajuster leurs armes à feu, chaque année, à la fin de l'été. On était plusieurs à les suivre, tu te souviens ? Ils stationnaient les véhicules à l'entrée, là-bas, et ils marchaient jusqu'ici, leurs étuis à la main. Puis, ils ouvraient les coffres et tiraient sur les cibles. Nous n'étions pas très vieux à l'époque. Mais je me rappelle très bien le bruit des détonations. Et ils ne buvaient jamais ici. C'était une règle. Pas besoin d'artifice dans les moments de vérité, répétaient-ils sans cesse.

Je regarde quelques oiseaux se disputer une place sur les branches d'un pin.

Tes oncles avaient bien raison, convient Joseph en regardant la forêt qui s'étend devant nous, il fallait partir d'ici avant la neige. Ce n'est pas évident, la vie au village, tu sais. À l'arrivée des étrangers, Jude a insisté pour qu'on reprenne les rondes de surveillance. Tu as entendu parler de tout ça ?

Oui, Jean nous a raconté.

Eh bien, vous a-t-il dit qu'au début Jude refusait qu'on les accueille plus d'une nuit ? Même José ne voulait pas leur fournir des médicaments. Il a fallu les convaincre que ce n'étaient pas des bandits et que nous avions assez de nourriture pour trois personnes supplémentaires.

Nous fumons une cigarette. La fumée trace d'épaisses spirales dans le froid cristallin. Devant nous, le champ de tir ressemble à un lac étroit pris sous la neige.

Jude est difficile à suivre depuis quelque temps. Comme tout le monde, peut-être. La neige est lourde sur nos petites vies. Il a un nouveau projet, paraît-il. Avec Jean, José et quelques autres, il veut transformer un minibus en motoneige. Tu te rends compte ? Ça ne marchera jamais ! Même s'ils y parviennent, jusqu'où pourront-ils aller ? Ça consomme beaucoup trop d'essence, ce genre d'engin. Ils vont vider les réserves du village pour tomber en panne après une centaine de kilomètres ? Que comptent-ils faire alors ? Chercher de l'aide ? Ils ne veulent même pas accueillir les inconnus qui arrivent ici ! Ils ne comprennent pas que la seule chose qui les attend là-bas, c'est le froid glacial et le vent du large. À moins qu'ils se dirigent vers la ville en pillant tous ceux qu'ils rencontreront sur leur route ?

Tu sais, je parie qu'ils vont venir te chercher pour que tu les aides à installer les chenilles. Après tout, tu es le seul mécanicien à des miles à la ronde. Et moi, marmonne-t-il en approchant la bouteille de sa bouche, je les ai envoyés promener chaque fois qu'ils ont voulu m'en parler.

Je prends une longue bouffée de cigarette.

Je dis à Joseph que j'aurais peut-être dû faire comme lui et devenir charpentier.

Bah, soupire-t-il, ça ne change pas grand-chose. Mais tu ferais mieux, surtout, de ne pas te mêler à cette affaire de minibus. Matthias aussi devrait se méfier. Les dernières assemblées ont été houleuses. Certains demandent à Jude de rendre des comptes. D'autres ont lancé qu'il faudrait voter chaque décision. Pour ma part, j'essaie de me tenir loin de tout ça, mais les événements finissent toujours par me rattraper. Judith est morte la semaine dernière. Elle n'arrivait pas à se remettre de la grippe. Il y a eu des complications. Elle souffrait terriblement, José l'a aidée à partir. Sa famille l'a enterrée pas très loin du village, dans la neige. C'est triste, elle avait deux jeunes enfants. Elle a eu la grippe, la fièvre a monté et elle n'est jamais redescendue. Même avec les médicaments. Depuis, tout le monde se méfie dès qu'on entend quelqu'un tousser. Certains craignent aussi Maria, tu sais, parce qu'elle est souvent en contact avec les malades.

Joseph lance son mégot et me tend la bouteille. Il en profite pour affûter sommairement la chaîne de sa tronçonneuse.

En plus de tout ça, déplore-t-il en pointant son arcade sourcilière, José sait maintenant que je couche avec Maria.

À ces mots, je lui demande une seconde cigarette.

Tout finit par se savoir dans un village, enchaîne-t-il en me tendant son paquet. Depuis, il la talonne sans cesse. Maria n'en peut plus, lui ne veut rien comprendre et moi je suis découragé. On étouffe ici, on étouffe vraiment.

Joseph se lève, s'avance au bord du bois et démarre la scie à chaîne.

On va prendre ce cèdre-là, me crie-t-il par-dessus les pétarades du moteur.

Quand il se penche sous la robe de l'arbre, la tronçonneuse rugit en crachant un nuage bleuté. Puis, le cèdre tombe, Joseph l'ébranche, taille trois billots bien droits. Je me lève pour l'aider à les mettre dans le traîneau, mais il me fait comprendre que ce n'est pas nécessaire.

Quand il se rassoit sur la motoneige, je peux sentir l'odeur de sciure fraîche sur son manteau.

Tu sais, reprend-il en me faisant signe de lui redonner la bouteille, Matthias veut partir d'ici. Avec ou sans aide. Ce n'est pas un secret. Et il n'est pas le seul. Mais Matthias ne tiendrait pas plus de trois jours sur la route. Si ce n'est pas à cause du froid, ça sera à cause d'une milice. Qu'il ait une arme avec lui ou non, ça ne changera rien. Il veut retrouver sa femme, mais, comme tout le monde, il n'a aucune idée de ce qui se passe ailleurs. Par contre, avec tous les vivres que je viens de vous apporter, il devrait se tenir tranquille pour quelque temps.

Et toi, qu'est-ce que tu vas faire ? m'enquiers-je.

Je ne sais pas, répond Joseph en regardant ailleurs, je ne sais pas. Toi, qu'est-ce que tu ferais à ma place ?

Je hausse les sourcils en pensant à ma carte topographique. J'ai fait la route jusqu'ici pour voir mon père, mais je ne suis pas arrivé à temps. Mes oncles et mes tantes sont partis à leur camp de chasse et ne sont jamais revenus. Je vis avec un étranger qui veut repartir au plus vite. Je ne sais pas ce qui me retient encore ici, mis à part le fait que mes jambes parviennent à peine à me supporter.

Sans rien ajouter, nous vidons le fond de la bouteille, Joseph démarre la motoneige et nous repartons à toute allure.

Cent cinquante et un

Quand nous arrivons devant la véranda, je suis complètement transi. Je n'arrive même pas à me lever du siège de la motoneige. Joseph me prend dans ses bras et me transporte jusqu'à l'intérieur. Une fois assis dans la chaise à bascule, près du feu, je me sens tout à coup très faible. Comme si le froid voulait me garder près de lui. J'espère que je ne tomberai pas malade à mon tour.

Matthias est encore en train de classer les victuailles. Il fredonne.

Je croyais qu'on avait resserré les rations, évoque-t-il. Mais il y a du bœuf, un canard entier, du sirop d'érable, de la terrine, des champignons séchés, il y a tellement de choses. Il y a même du café.

Tant mieux si ça fait votre bonheur, se réjouit Joseph en mesurant la distance entre le plancher et les poutres du plafond.

Matthias s'étonne en mettant la main sur deux bouteilles de vin.

Mais pourquoi tout ça ? Pourquoi maintenant ?

Peu à peu la chaleur permet à mon sang de circuler de nouveau dans mon corps. Par contre, le picotement est insupportable. J'arrive tout juste à suivre la conversation.

Parce que Jude n'est pas le seul à avoir des réserves secrètes, précise Joseph. Et que je voulais que vous en bénéficiiez un peu. Tout simplement. Mais n'en parlez pas, ça pourrait faire des vagues. Déjà que Jude a enfermé Jacques pendant deux jours.

Qu'est-ce qui s'est passé ?

Je n'étais pas là quand c'est arrivé. Certains disent que Jacques a pointé un fusil sur quelqu'un qui lui devait de l'essence. D'autres pensent que c'est un complot. Il a été relâché, mais j'ai l'impression que ça va mal finir.

Matthias remercie Joseph en l'assurant de sa discrétion et cherche à obtenir davantage d'informations à propos de Jacques.

Tout son arsenal a été saisi. Jude dit que c'est trop risqué de laisser des armes circuler ainsi. Qu'il va y avoir des dérapages.

Le tour de motoneige m'a complètement épuisé. Les muscles de mon cou se relâchent et je perds un grand bout de la discussion. Quand je relève enfin la tête, Joseph est en train d'installer les renforts de cèdre sous les poutres centrales.

Cela ne les redressera pas, admet-il en enfonçant de longs clous en quelques coups de marteau, mais ça va les empêcher de s'affaisser davantage. Maintenant tous les nuages peuvent s'éventrer au-dessus d'ici, ça devrait tenir.

Pendant que je lutte contre le sommeil, Joseph ramasse ses affaires. Lorsqu'il a terminé, il s'avance vers Matthias et lui tend un trousseau de clés orné d'un petit orignal en plastique.

Qu'est-ce que c'est ? demande Matthias.

C'est un cadeau. Si jamais tu es encore ici quand la neige aura fondu, au moins tu auras accès à une voiture. Troisième maison à gauche, avant la sortie du village, tu sais, c'est juste à côté de la patinoire. Troisième maison à gauche, répète Joseph, dans le garage.

Et l'expédition ?

Je crois bien que Jude et les autres s'occupent des préparatifs, mais je ne sais pas vraiment où ils en sont. Vous l'apprendrez bien avant moi, dit-il à mi-voix.

Lorsque Joseph met la main sur mon épaule pour me saluer, je sursaute comme s'il m'avait sorti d'un rêve.

Je dois partir. Repose-toi, repose-toi et mange bien, il ne faut pas que tu lâches. Tu regagnes déjà de l'endurance. Je parie que, quand on va se revoir, tu vas marcher.

C'est ça, oui, renchéris-je comme s'il se moquait de moi.

Avant de franchir le seuil, Joseph se retourne et nous regarde d'un air incrédule. Quelques instants plus tard, on l'entend rincer le moteur de sa motoneige avant de détaler en vitesse.

Avant même que j'envisage de me rendre à mon lit, ma tête retombe sur ma poitrine et je plonge dans un sommeil dense et noueux.

Cent cinquante et un

Je me réveille en plein milieu de la nuit avec des maux de ventre. Nous avons trop mangé. Pendant que je faisais la sieste, Matthias a préparé le canard et mis les meilleures conserves sur la table. Les cœurs d'artichaut, les huîtres fumées, les escargots, le piment rôti. Il m'a réveillé, on s'est assis à table, puis on a dévoré tout ce qu'on a pu. Ça change de la soupe et du pain noir.

Dehors, une lune froide transperce les nuages. Ses rayons pénètrent profondément dans la pièce. Des deux côtés de la fenêtre, tout n'est plus qu'un jeu d'ombres. Les renforts de Joseph ressemblent à des arbres qui traversent le plafond. Ou à des haricots magiques qui ont poussé dans les fentes du plancher.

Rien ne bouge. Le temps est suspendu à la nuit. Et tous deux sont immobiles. Comme mes jambes dans leurs attelles. Je tente de me rendormir, je pense à la vie au village, à Joseph et à Maria. Je pense à mes oncles. Je me demande ce qu'il y avait sur leur table ce soir, dans le milieu de la forêt. Alors que mes paupières retombent, la petite bête revient tout à coup grignoter mon sommeil. Je l'entends qui se promène de l'autre côté en ramassant tout ce qu'elle peut. Je voudrais partir à sa recherche avec mon lance-pierre et une lampe de poche. Mais, en béquilles, ça serait difficile. Lorsque je m'appuie sur les coudes, j'aperçois une lueur sous la porte qui mène à l'autre côté. Je scrute la pièce éclairée par la lune. Les trois piquets de cèdre soutiennent la voûte céleste, la table est là, la chaise à bascule, le divan. Le divan. Le divan où reposent les couvertures de Matthias encore soigneusement pliées. Et la trappe du garde-manger qui est ouverte. Mais qu'est-ce qu'il fait ? Qu'est-ce qu'il fabrique de l'autre côté à cette heure ? Je l'entends qui marche, qui s'arrête, qui recommence. Je l'entends qui retourne des choses, qui farfouille, qui s'affaire. C'est ça, ça y est. J'ai trouvé la petite bête qui puise dans nos provisions, la nuit. J'ai compris ce qu'elle fait, elle prépare son départ.

Le bruit diminue pendant un moment, mes maux de ventre se dissipent et je me rendors progressivement.

Au petit matin, quand j'ouvre les yeux, Matthias dort dans le divan. Il se réveille aussitôt qu'il m'entend remuer. Dehors, le ciel déborde de lumière avant même que le soleil se soit hissé au-dessus de l'horizon. Il ne reste sûrement plus de cendres chaudes dans le poêle car il fait frais dans la pièce. Je reste pelotonné dans mes couvertures en écoutant la respiration régulière de Matthias. J'aurais besoin d'un café.

Le lointain ronronnement d'un moteur attire mon attention. Je prends ma longue-vue. Dans le crépuscule clair et froid, je distingue une motoneige jaune qui file à toute allure. Elle longe la ligne noire de la forêt. Il y a deux personnes sur l'engin. Le conducteur est solidement agrippé aux poignées et semble regarder loin devant lui. La personne qui l'accompagne porte un manteau rouge. Elle jette de brefs coups d'œil vers l'arrière et se tient au conducteur comme à sa plus grande espérance. Après avoir gravi la colline, ils s'engagent dans un chemin forestier et disparaissent. Je baisse ma longue-vue et je me dis que, sans Joseph et Maria, la vie au village ne sera plus la même. La mienne non plus.

Cent cinquante et un

Le soleil est levé depuis un moment maintenant, mais les nuages ont couvert le ciel en matinée. Le baromètre pointe par terre. L'air est lourd. Ça se voit. La neige a perdu son lustre. Au village, la fumée sort des cheminées, monte, plafonne et redescend. Comme si elle n'arrivait pas à rejoindre le ciel. Par endroits, quelques flocons de cendre retombent au sol et forment de petites constellations noires sur le blanc infini.

Après avoir étendu une lessive au-dessus du poêle, Matthias examine les renforts. Même s'ils me permettent de me déplacer du lit à la table sans prendre mes béquilles, ces poteaux sont encombrants. Ils gênent les mouvements de Matthias quand il rentre du bois, quand il met la table, quand il fait ses exercices.

Ça va tenir ? me demande-t-il, incrédule.

Ça va tenir, lui dis-je, c'est Joseph qui les a installés.

Puis, Matthias alimente le poêle, ouvre le garde-manger et sort quelques trucs. Je le vois se frotter les mains avec satisfaction avant de commencer à cuisiner. Je lui demande si une bête est venue se servir dans nos réserves.

Non, me répond-il, je ne crois pas. Je ne vois rien.

J'ai entendu du bruit pendant la nuit, renchéris-je.

Impossible. Moi, je n'ai rien entendu. Ni cette nuit ni les précédentes.

Matthias dépose les aliments sur le comptoir et referme le garde-manger.

Ça doit être dans tes rêves, précise-t-il sèchement. Oublie ça, lève-toi, on va faire nos exercices.

Je laisse tomber et je rassemble mes forces. Je me lève en essayant de ne pas mettre de poids sur ma jambe gauche et on commence. On étire les bras vers le haut en faisant des rotations de poignets, on inspire. On se penche vers nos genoux, en gardant nos colonnes vertébrales bien droites et on expire. Au milieu de notre séance, les cloches de l'église se mettent à sonner. L'écho se répercute longuement dans les montagnes. C'est le signal d'alarme. Quelque chose vient d'arriver. Je prends ma longue-vue et je regarde vers le village. Rien ne bouge entre les arbres. Les cloches retentissent toujours. Puis, elles cessent et tout redevient normal. Matthias dit qu'on viendra nous prévenir si c'est grave. Sinon Joseph nous racontera.

Un peu plus tard, nous entendons le grondement simultané de plusieurs motoneiges. On se précipite de nouveau à la fenêtre. Il y en a trois. L'une fait le tour du village, une autre longe la forêt et la dernière se dirige vers ici.

Ça doit être Joseph, suppose Matthias en me volant la longue-vue.

À moins que ce soit Jean qui vienne me chercher, dis-je.

Le bruit du moteur se rapproche. La porte s'ouvre. C'est José. Il est accompagné d'un type et d'une jeune femme. Les trois portent une arme. Matthias les invite à s'asseoir à table, mais ils ne prennent pas la peine de lui répondre.

Par là, indique José en montrant la porte qui mène de l'autre côté.

Et le type s'y engouffre sans dire un mot.

Matthias cherche aussitôt à savoir pourquoi les cloches ont sonné.

On cherche Maria, déclare José, vous ne l'auriez pas vue par hasard ?

Ça fait déjà un bon moment qu'elle n'est pas passée, calcule Matthias.

Pourtant il y a des pistes de motoneige à l'entrée, note José en changeant de ton, elles sont encore fraîches.

C'est Joseph qui est venu il y a quelques jours.

Et il était avec Maria ? se renseigne José.

Non, pourquoi ?

Il était avec Maria ? recommence-t-il en se tournant vers moi.

Non, garantis-je.

Derrière lui, la jeune femme est postée devant la porte en tenant son fusil à deux mains. Le type revient de l'autre côté en secouant la tête.

Tu as bien regardé ? s'enquiert José.

Oui.

Partout ?

Oui, partout.

Ils ne sont pas là ?

Non, ils ne sont pas là.

Merde, vocifère José. Et, là-dedans, qu'est-ce qu'il y a ? s'informe-t-il en désignant la trappe du garde-manger.

Nos réserves, répond aussitôt Matthias avec un brin de tension dans la voix. On les entrepose là pour les garder à l'abri des rongeurs.

José hoche la tête en scrutant attentivement les renforts de la véranda.

Désolés de vous avoir dérangés.

Matthias fait un pas vers lui en redemandant ce que signifie tout cela.

Quelqu'un s'est entaillé une partie de la cheville avec une hache, dit-il en invitant ses collègues à sortir. On a besoin de Maria, mais elle est introuvable. Elle ne peut pas être bien loin. Vous êtes certains de ne pas l'avoir vue ?

Absolument, réitère Matthias.

José soupire et repart avec ses collègues aussi prestement qu'ils sont arrivés.

Je me demande un instant si on survit à un coup de hache dans la cheville. Si Maria aurait pu sauver cette personne comme elle l'a fait pour moi.

Dehors, les motoneiges ont laissé des sillons bleutés. Mais la neige a recommencé. Les flocons couvrent déjà les traces d'une mince couche de silence.

Cent soixante-sept

Pendant que je complète une série de tours de table, en béquilles, Matthias verse de l'eau chaude dans un bol et fait mousser du savon sur ses joues. Avec des gestes lents et précis, il glisse le rasoir sur sa peau. Il se rince le visage, s'essuie et se regarde dans la glace. Cela le rajeunit peut-être de quelques années, mais ses traits restent les mêmes. La peau de son cou ressemble à un banc de neige flétri par les pluies de la fin de l'hiver.

En tournant un coin, je reçois une goutte d'eau sur le front. Je m'arrête. J'en reçois une autre. Je me recule d'un pas et regarde le plafond. Des gouttes longent une poutre jusqu'au centre de la pièce. Elles s'étirent, pendouillent et lâchent prise. Une à une, sans empressement, avant de se briser en éclats sur le sol. Pendant un instant, j'imagine l'épaisse couche de glace qui s'est formée à notre insu, juste au-dessus de nos têtes. À cause de la chaleur du poêle, la neige s'est probablement compactée, durcie, soudée en un bloc. Elle empêche désormais le toit de s'égoutter normalement. Les renforts peuvent supporter de bonnes charges, mais l'eau finit toujours par passer là où elle veut.

Quand Matthias se retourne, je montre la fuite du doigt. Il la regarde attentivement, tourne sur lui-même et met un seau en métal par terre.

Voilà, dit-il.

Et les gouttes d'eau martèlent chaque seconde comme si nous étions emprisonnés dans une clepsydre. Et que notre temps était compté.

À la fin de la journée, le seau déborde et une petite mare se forme sur le plancher. En s'agenouillant pour éponger l'eau, Matthias lâche un cri étouffé comme s'il avait reçu un coup. Il s'appuie sur ses genoux et ne bouge pas pendant plusieurs minutes. Quand je m'approche pour l'aider, il lève une main.

Ça va aller, dit-il, plié en deux, je me suis bloqué le dos, mais ça va aller. Tout va bien.

Il insiste pour étancher le restant de l'eau. Ses gestes sont saccadés comme s'il luttait contre la rouille. La pénombre gagne la pièce. Je m'étire pour atteindre la lampe à huile et la garde un instant entre mes mains.

Allume-la, lance Matthias, n'attends pas qu'un génie en sorte.

Je glisse une allumette dans le globe de verre, ajuste la flamme. Quand je me redresse sur mes béquilles pour aller au comptoir, Matthias s'avance, courbé comme un arbre déraciné. Il me barre le chemin. Je lui dis de me laisser passer. Et de se reposer pendant que je prépare quelque chose à manger. Il hurle qu'il n'en est pas question. Que la cuisine, c'est son espace, son espace à lui seul. Et que ma place, c'est dans le lit ou dans la chaise. Un point, c'est tout. Même s'il n'arrive pas à détacher les yeux du sol, il agite vigoureusement ses bras dans les airs et me somme de retourner m'asseoir avec une voix à la fois sévère et fragile. Je me retire alors en écoutant les gouttes d'eau pilonner ma patience avec une constance dérangeante.

Matthias grommelle en s'affairant au repas. On dirait un vieux cervidé, têtu et renfrogné, qui frappe du sabot à la moindre occasion. En l'observant du coin de l'œil, j'ai l'intime conviction que cette pièce sera bientôt trop petite pour nous deux.

Cent soixante-quatorze

Avant même d'ouvrir les yeux, j'entends de la vaisselle qui tinte et le clapotis de l'eau savonneuse.

Je m'éveille.

Avec surprise, je constate que Matthias est debout, fringant et bien droit. Il lave et essuie des assiettes et quelques casseroles qu'il empile sur le comptoir. Étonnamment, il semble s'être déjà remis de son tour de reins. Il siffle un air connu et m'apporte une tasse de café avec du pain grillé. J'avale mon petit-déjeuner en une bouchée, puis je bois mon café en observant la fuite. Cette nuit, quand le feu s'est étouffé dans ses cendres et que le froid est venu hanter nos rêves, je me suis réveillé brusquement, j'ai remarqué que l'eau ne s'infiltrait plus. Les gouttes avaient arrêté leur cortège. Mais, dès qu'on a allumé le poêle, au petit matin, elles ont repris leur procession là où elles l'avaient interrompue.

Avec une vigueur étourdissante, Matthias pellette l'entrée, rentre du bois et pétrit sa pâte pour faire du pain noir.

C'est une belle journée qui commence, me dit-il avec un débit particulièrement rapide.

Au moment où je me décide à me lever pour faire quelques pas en béquilles, une motoneige arrive devant la véranda. Matthias se dépêche d'ouvrir la porte, puis Jean entre dans la pièce.

C'est aujourd'hui, déclare-t-il aussitôt, tu es prêt ?

Matthias me regarde avec les deux pouces en l'air. Il me dit que le dîner sera servi quand je reviendrai.

Tu vois, tout concorde, renchérit Jean.

Matthias m'aide à retirer mes attelles et enfiler son manteau, son pantalon de neige, ses bottes. Je note que ses mains tremblent plus que d'habitude.

C'est bon, dit Matthias en nouant son écharpe autour de mon cou, tu peux y aller maintenant. Tes béquilles, tu as besoin de tes béquilles.

Il n'en aura pas besoin, dit Jean en me soulevant par les aisselles.

Matthias nous regarde sortir en clignant des yeux et en s'épongeant le front. En passant la porte, je me rends compte qu'il y a une boîte de pilules sur le coin du comptoir. Ce sont les analgésiques que je prenais quand la douleur était insupportable. Et le contenant est vide, comme une gourde à laquelle on a bu la dernière goutte.

Cent soixante-quatorze

La porte de l'entrepôt s'ouvre avec fracas. Quand nous pénétrons à l'intérieur, l'obscurité nous cerne de toute part. Jean siffle deux fois. L'entrepôt est vaste et le son résonne sur les murs de tôle. Soudain, le grondement d'une génératrice se fait entendre et des néons s'allument l'un après l'autre au-dessus de nos têtes.

Devant moi, cinq types me fixent comme s'ils venaient d'apercevoir un revenant. Je reconnais certains visages, mais le temps a fait son œuvre. Avec les années, nous sommes tous redevenus des étrangers. L'un d'eux m'apporte une chaise à roulettes en soulignant qu'il était là quand on m'a trouvé, après l'accident.

C'est bon de voir que tu te rétablis.

Oui, dis-je, mais c'est long.

Au moins tu n'as pas à faire les rondes de surveillance, raille-t-il.

Et tu as eu la chance d'être soigné par la plus belle femme du village ! ajoute un autre en rigolant avec ses compères.

Laissez-le tranquille, tonne Jean en poussant ma chaise entre les coffres à outils, il faut se mettre au travail.

Le minibus est monté sur des blocs de bois. À l'avant, de longs skis en métal ont été arrimés à la suspension. À l'arrière, les roues ont été retirées et d'imposants trains de chenilles attendent d'être installés. Je comprends pourquoi Joseph disait que ça ne fonctionnerait jamais.

Voilà où nous en sommes. C'est déjà pas mal, non ?

Je regarde Jean en me grattant la tête et m'étends au sol avec précaution. Je me glisse sous le minibus en m'agrippant au circuit d'échappement. Je demande à ce qu'on m'apporte de l'éclairage. J'inspecte la solidité des essieux, l'état des amortisseurs, le dispositif de freinage. Pendant que je suis là, un des types se penche vers moi.

Je croyais que tu étais parti d'ici pour ne pas devenir mécanicien, comme ton père.

Je me retourne vers lui, le dévisage, puis lui demande de me passer une clé à molette.

Il obtempère, mais, en me tendant l'outil, il me questionne à nouveau.

Et où es-tu allé, tout ce temps ? C'est long, dix ans. Qu'est-ce que tu as fait ?

Je lui réponds que j'ai fait de mon mieux pour changer de vie.

Et pourquoi tu es revenu, à cause de la panne ?

Non, je venais rendre visite à mon père.

Jean s'agenouille pour voir ce qu'on fabrique. Il fait signe à son collègue de me laisser travailler. Dans le faisceau jaune de la lampe, son visage paraît particulièrement sévère. Je me demande comment cet homme était avec les jeunes enfants, avant la panne, quand il était enseignant.

Alors que j'examine un dernier truc, l'odeur de l'essence, la texture de la graisse, le noir feutré

164

de la mécanique me ramènent loin dans le temps. Je ne sais pas si mon père aurait accepté de venir ici. Je ne crois pas, mais il aurait sûrement profité de la situation pour négocier quelque chose à son avantage.

Quand j'ai terminé, on m'aide à sortir de là et à m'asseoir sur la chaise. Jean et les autres attendent mon verdict. Leurs bras pendent le long de leur corps. Je me retourne vers le minibus. C'est un projet insensé. On dirait un chantier naval.

Je ne comprends pas pourquoi vous avez besoin d'un tel engin.

Jean me répond que c'est pour faire des expéditions et rétablir nos réserves.

Les motoneiges, c'est bien, poursuit-il, mais on a besoin de place pour transporter du matériel et quelques personnes. On a besoin d'un vrai véhicule à neige.

Je vois, dis-je. Mais je parie que vous n'avez pas les adaptateurs pour les chenilles.

Jean et ses hommes s'échangent un regard creux.

Alors il va falloir percer les moyeux.

Ils acquiescent tous, mais il ne se passe rien. Je répète.

Alors il va falloir percer les moyeux.

Jean donne quelques directives aux autres. L'un d'entre eux s'empresse de sortir une perceuse, un autre rassemble les coffres à outils près de nous, quelqu'un déroule une rallonge jusqu'à notre aire de travail. Je pointe le doigt vers le type avec qui j'ai brièvement conversé et lui indique de s'approcher.

Écoute bien, tu vas percer des trous exactement là où je te le dis. Délicatement, sans forcer le moteur et sans casser la mèche.

Il hoche de la tête, s'installe et commence à forer le métal. Pendant que je le surveille du coin de l'œil, j'explique à Jean comment nous allons procéder. Il me demande de bien détailler chaque étape pour être certain de tout comprendre.

Crois-tu qu'on aura terminé aujourd'hui ?

On verra, peut-être.

Rayonnant, Jean pose la main sur mon épaule et déclare fièrement que je suis l'homme de la situation.

Cent soixante-quatorze

Il fait noir depuis un bon moment lorsque Jean vient me reconduire. Nous filons à toute vitesse et les phares fendent la nuit devant nous. Sous la neige, on devine les anciennes installations de la mine et l'imposant plateau créé avec les résidus de minerai. Contrairement à Joseph, Jean manœuvre la motoneige avec des gestes brusques et j'ai l'impression qu'on pourrait s'enliser à chaque virage. Nous arrivons devant la véranda. Matthias a déjà ouvert la porte. Sans arrêter le moteur, Jean lui fait signe de venir me chercher. Matthias s'avance vers nous et vacille dans la neige.

Il vente fort, lance-t-il, la voix partiellement couverte par le bruit du moteur, il va faire tempête.

Jean approuve évasivement. Dès que je descends de la motoneige et que Matthias me tient par le bras, Jean enfonce l'accélérateur et descend au village.

Et alors ? me demande Matthias dès que nous sommes à l'intérieur.

On n'a pas arrêté de la journée, dis-je en regardant mes mains noircies par l'huile et la poussière. J'ai faim.

Ça fonctionne ?

Ça devrait.

Et à quoi ça ressemble ?

À un minibus avec des skis et des chenilles. À un navire des neiges.

Matthias reste songeur un instant.

En massant mes jambes, je regarde la fuite et me dis qu'il faudrait bien la colmater ou trouver un moyen d'assourdir la pulsation des gouttes.

Ça va, tes jambes ?

Oui, elles sont dures comme de la pierre, mais la douleur est supportable. Et toi, ton dos ?

Comme neuf, répond-il, les yeux cernés par les analgésiques.

Matthias me sert une assiette de pâtes.

Alors, ont-ils dit quand l'expédition partirait ?

Non, le minibus est encore dans l'entrepôt. Et il reste à faire quelques essais, à l'extérieur.

Ils auront encore besoin de toi pour ça ?

J'imagine que oui.

Donc ils ne partiront pas tout de suite. Jude était avec vous ?

Non.

Mais Jean t'a bien dit qu'il gardait une place pour moi, n'est-ce pas ?

On a travaillé toute la journée, je ne me souviens pas de chaque chose qui a été dite. Tu t'arrangeras avec eux.

Avec un bout de pain, je nettoie la sauce dans mon assiette. Matthias n'ajoute rien et se perd dans la contemplation de l'eau qui fuit du plafond.

Cent quatre-vingt-douze

C'est la tempête depuis près d'une semaine.
Le vent défigure les arbres et soulève la neige
à mesure qu'elle tombe. On ne sait plus si les
flocons arrivent du ciel ou montent du sol.

Je n'ai pratiquement pas bougé de mon lit
durant les derniers jours. Le matin, je frictionne
mes jambes, exécute quelques exercices, puis me
recouche. Il n'y a rien d'autre à faire.

Le toit coule toujours. On ne met pas de neige
à fondre sur le poêle. On récupère directement
l'eau de la fuite. Elle est claire, mais elle a un
goût étrange. On dirait qu'elle a pris la saveur
du bois qu'elle a traversé.

Matthias cuisine sans cesse. Comme s'il tentait
de combler le vide en préparant de quoi remplir nos estomacs. Aujourd'hui encore, il a fait
du pain noir. Mais cette fois, il a ajouté de la
viande, des fruits séchés et une bonne dose de
graisse. Tout est sur le poêle depuis la matinée
et Matthias nourrit minutieusement le feu pour
ne pas brusquer la cuisson lente de ses petites
briques de pain noir à la viande.

Ce n'est pas du pain noir, c'est du pemmican,
ce n'est pas la même chose, précise-t-il.

Quand il dépose enfin ses briques de pemmican sur la table, Matthias semble particulièrement satisfait.

On peut survivre longtemps avec du pemmican, reprend-il, quelques bouchées équivalent à un repas. C'est ce que les explorateurs emportaient, quand ils remontaient les rivières.

Dehors, la tempête gronde et donne des coups de hanche sur la véranda. Elle tourbillonne dans la cheminée et fouette la neige autour. Elle frappe à la fenêtre. Elle rugit. Et nous regardons ce spectacle avec une indifférence calculée. Soudain, on entend un éclat de voix. Quelqu'un parle de l'autre côté de la porte. Matthias ouvre, intrigué. C'est Jonas. Il entre en secouant la neige sur ses épaules et tire la chaise à bascule pour s'asseoir près du poêle. Il agite ses mains et les tend vers la chaleur. Il reste comme ça pendant de longues minutes. Comme nos ancêtres l'ont fait, pendant des milliers d'années. Quand Jonas se retourne vers nous en bougeant péniblement les doigts, les glaçons dans sa barbe fondent tranquillement et son manteau turquoise est reluisant. Il ouvre la bouche pour parler, mais son idée semble lui échapper car il reste muet encore un moment, hypnotisé par les gouttes d'eau qui tombent du plafond et qui atterrissent dans le seau.

Il fait froid, finit-il par dire. Et la neige, la neige n'arrête pas. Vous avez bien fait de mettre des renforts, on ne sait jamais. J'ai entendu dire qu'un peu plus haut, en forêt, il y aurait deux fois plus de neige encore. Deux fois plus de neige, vous y pensez ?

Matthias hausse les sourcils, moi j'essaie d'imaginer le camp de mes oncles sous quatre mètres de neige.

C'est quoi, ça ? demande Jonas en montrant le pemmican sur la table.

Matthias l'invite à se servir.

Jonas prend une brique de pemmican, la soupèse et croque dedans avec les dents qui lui restent.

C'est une bonne tempête, poursuit-il, la bouche pleine, une bonne tempête. Mais on en a vu d'autres. Chaque hiver, il y a des tempêtes. C'est comme ça. Ça n'arrête rien. Ça n'arrête personne, les tempêtes. La preuve, ils sont partis quand ça commençait.

Qui est parti ? lui demande Matthias promptement.

Jonas arrête de mastiquer un instant.

Jude, Jean, José et les autres.

Avec le minibus ?

Oui, avec le minibus, vous auriez dû voir ça, cet engin, ça flottait sur la neige, on aurait dit, on aurait dit un bateau, une arche, comme dans la Bible, juste avant que s'ouvrent les écluses du ciel.

Le visage de Matthias s'obscurcit.

Ils sont allés en ville ?

Je ne sais pas. Ils sont partis, ils sont partis chercher de la nourriture, de l'essence et des médicaments, surtout, pour ceux qui n'arrivent pas à se relever de la grippe. Je les ai croisés juste avant qu'ils partent. On était les seuls dehors à cause du vent qui soufflait. Je leur ai demandé si je pouvais monter avec eux. Pour aller vendre mes bouteilles vides. Ils ont dit oui, mais la prochaine fois. J'ai insisté parce que je n'ai pas peur des tempêtes. Ils m'ont expliqué qu'ils étaient déjà nombreux et qu'ils n'en avaient pas pour longtemps. Alors je suis retourné chez moi avant de prendre froid. De toute façon, ils seront de retour bientôt et je ferai partie de la prochaine, de la prochaine expédition.

Ils sont partis depuis combien de temps ? s'informe Matthias, décontenancé.

Je ne sais plus, répond Jonas pensivement. Ça doit faire quatre ou cinq jours maintenant, oui, c'est ça. En tout cas, on les attend d'une journée à l'autre. On a hâte de les voir. Le village semble vide sans eux. Et la journée des rations approche.

Jonas mord de plus belle dans sa brique de pemmican.

C'est bon, confirme-t-il. C'est un peu dur, mais c'est bon.

Matthias grommelle quelque chose sans prêter attention à la suite de la conversation.

Et tu as des nouvelles de Joseph et Maria ? m'assombris-je.

Ah, la belle Maria, soupire Jonas. Je savais ce qui allait se passer, je le savais, mais je ne l'ai dit à personne. À personne. Ils sont partis. Que voulez-vous ? C'est ainsi. Moi, je me doutais bien que ça ne servait à rien de se lancer à leur poursuite. Joseph, Joseph, il n'est pas fou. Il ne se fera pas prendre. Moi non plus, je ne suis pas fou. Je n'ai l'air de rien comme ça, je dors dans l'étable, je fais mes affaires, mais je sais tout ce qui se passe. D'ailleurs, c'est moi, c'est moi maintenant qui m'occupe des vaches, qui leur donne à manger. Il faut bien que quelqu'un tienne compagnie à ces pauvres bêtes.

Pendant que Jonas continue de bavarder, je jette un coup d'œil vers Matthias. Il regarde le vide devant lui comme s'il avait été frappé de paralysie. Et qu'il ne pouvait plus rien pour aider son sort.

On ne s'en doute pas, poursuit Jonas, mais les journées ont commencé à rallonger. Les matins sont plus clairs. Et l'obscurité tombe moins vite. D'habitude, à cette époque de l'année, le froid finit par relâcher durant quelques jours. Parfois aussi la neige se transforme en pluie. C'est comme ça, il y a toujours des redoux, des redoux au plus creux de l'hiver. Je peux prendre encore du pemmican ?

Oui, répond Matthias distraitement, prends tout ce que tu veux.

Jonas se lève et glisse quelques briques de pemmican dans ses poches.

C'est pour, c'est pour la route, dit-il avant de partir.

Deux cent six

Avec la neige qui s'est amassée durant les derniers jours, ma fenêtre ressemble de plus en plus à une meurtrière. Comme si nous vivions dans un bunker construit en vue d'une embuscade. Ou dans un retranchement souterrain, avec un accès très limité au monde extérieur.

Le matin se lève à peine. Matthias regarde fixement la cafetière comme s'il n'avait pas dormi de la nuit. Son visage est grave et sévère. Je fais un tour d'horizon avec ma longue-vue. Je scrute le bas de la colline, vers le village. Tout est tranquille. Il n'y a que trois cheminées qui fument. C'est l'hiver, les gens hibernent.

Nous sommes encore loin des redoux annoncés par Jonas, car le froid a réduit le décor au silence et à l'immobilité. La branche du baromètre semble figée à l'horizontale, les arbres sont soumis à la neige, les écureuils restent au creux de leurs souches. Même la fuite s'est tarie plus longtemps qu'à l'habitude, avant de recommencer à couler, toujours un peu plus vite que la veille. En fait, les gouttes d'eau semblent être attirées par notre présence, par notre odeur, par notre chaleur. Elles fondent sur nous avec l'instinct des grands carnassiers qui ont dans leurs veines le souvenir immémorial de leurs ancêtres encerclant méthodiquement leurs proies avant de les dévorer.

Soudain, Matthias assène un violent coup sur la table. Sa tasse de café se renverse et se brise par terre.

Ça ne se peut pas, vocifère-t-il, c'est impossible !

Il disparaît de l'autre côté et revient quelques instants plus tard en dissimulant quelque chose dans le bas de son dos, sous sa chemise.

Je dois aller au village.

Je le dévisage.

Je dois aller au village, répète-t-il, contrarié, peut-être que Jude et les autres sont revenus, comme Jonas l'a dit. Peut-être qu'ils se préparent pour aller en ville maintenant qu'ils ont testé le minibus. Il faut que je leur dise de me garder une place. C'est l'entente, je dois avoir ma place dans le minibus.

Matthias enfile son manteau, saisit ses raquettes et sort avec empressement.

Je termine mon café en le regardant se frayer un chemin dans la neige. La véranda me paraît soudain vaste et calme. Je n'entends plus que le crépitement du feu et l'assiduité des gouttes d'eau. Je pourrais en profiter pour changer mes pansements, faire mes exercices ou me tailler la barbe. Mais je pense plutôt aux bouteilles de vin que Joseph nous a données. Je laisse traîner mon regard dans la pièce pendant un moment. L'idée de me recoucher me traverse l'esprit. Jusqu'à ce que mes yeux s'arrêtent sur la porte qui mène de l'autre côté.

J'empoigne mes béquilles, me lève et me dirige vers la porte. Les charnières pivotent sans faire un son. Une bouffée d'air froid et rance arrive à ma rencontre. J'inspire profondément et je traverse de l'autre côté.

4

Les ailes

Dès qu'on aura pris notre envol au-dessus de ce lieu clos et sans vie, tu t'émerveilleras de la profondeur de l'horizon. Déjà, on sera ailleurs. Déjà, on sera sauvés. Tu suivras mes consignes scrupuleusement. Tu voleras à mi-chemin entre le ciel et la terre. Tu voleras, tu fileras droit devant, les bras en croix, en te laissant porter par les airs.

Deux cent six

Je referme la porte derrière moi. Un jet de lumière point au bout du couloir, mais l'obscurité domine et les murs se prolongent indéfiniment de chaque côté.

Il y a quelqu'un ?

Aucune réponse. La maison est vide. Sans vie. Il n'y a que l'existence fantomatique de Matthias et la mienne pour hanter cet endroit. Je m'agrippe fermement à mes béquilles et fais quelques pas. Déjà, l'humidité pénètre mes os et raidit mes articulations. Je ne sais pas combien de temps je vais pouvoir tenir.

Le salon se trouve à ma droite. Au pied d'une large bibliothèque, des livres jonchent le sol. On dirait un tas de charbon qu'on s'apprêterait à enfourner dans une chaudière. Sur le mur du fond, un foyer en pierre domine la pièce. À l'intérieur, il y a des boîtes de conserve calcinées et quelques bûches à moitié consumées. Une couverture recouvre partiellement le vieux divan. Et une bouteille de gin vide trône sur la table basse. Les rideaux sont tirés devant les fenêtres. Le froid a figé les choses sur place. Dans le coin de la pièce, la télévision épie mes gestes et me renvoie le reflet d'un homme entre deux âges, qui avance péniblement, penché sur des bouts de bois. Le salon débouche sur la salle à manger. La lumière du jour y pénètre difficilement, bleuie par la neige accumulée aux fenêtres. Plus loin, dans la cuisine, des courants d'air se glissent entre les planches d'une fenêtre barricadée. Des courants d'air et un peu de neige. Au-dessus du comptoir, les armoires n'ont rien d'autre à offrir que du papier peint défraîchi. Dans l'évier, il y a des guenilles et des conserves huileuses. Le carrelage est recouvert de tessons de verre et de traces de bottes boueuses.

Je jette un œil dans la salle de bain. Elle est sale et inutilisable, je ferme la porte en ayant un léger haut-le-cœur. Je retourne dans le couloir et passe devant la porte principale. Par curiosité, je regarde par l'œilleton, mais je ne vois rien. Peut-être est-il défectueux. Ou peut-être est-ce une ruse de la neige ? Par réflexe, je m'assure que la porte est bien verrouillée. Je m'arrête ensuite devant l'escalier qui monte à l'étage. Il est large et massif. La rampe en bois a été ouvragée avec un savoir-faire qui appartient à une autre époque. Je m'y cramponne solidement en abandonnant une béquille et je gravis les marches en claudiquant. En haut, trois chambres sont inondées de clarté. Les lucarnes recrachent la lumière du jour sur les lits défaits, les garde-robes entrouvertes, les commodes vidées avec empressement et les vêtements éparpillés au sol. Je me dirige vers l'une des fenêtres.

La vue est surprenante. Le contour des montagnes semble avoir été tracé avec une assurance inhabituelle. L'étendue sans fin de la forêt descend jusqu'à la clairière où se dresse l'échelle à neige. J'ai l'impression d'être à la vigie d'un navire. Et de constater l'ampleur redoutable de l'horizon qui se referme sur nous.

Plus bas, je distingue clairement le début du village. Enfin, quelques toits ensevelis, quatre maigres colonnes de fumée et des petits sentiers qui vont d'une demeure à l'autre comme des passerelles fragiles, menacées par les intempéries.

Je pourrais rester longtemps à observer ce paysage désolé et magnifique. Mais le froid me gagne progressivement. Quand j'expire, un nuage de vapeur sort de ma bouche comme si je fumais une cigarette. Je me penche difficilement, ramasse une veste sur le plancher, l'enfile et frotte mes mains ensemble.

De retour dans le couloir, je remarque qu'il y a une porte sous l'escalier. Ça doit être l'accès qui mène à la cave. Un frisson me traverse l'échine. Je ne veux pas prendre froid, mais c'est plus fort que moi, j'ouvre la porte de la cave. Juste pour voir.

Devant moi, je ne discerne que les premières marches de l'escalier qui s'enfonce dans cette gueule béante et sombre. Je me penche et, en m'appuyant sur mes béquilles, je passe la tête dans l'embrasure de la porte. Mes pupilles se dilatent et percent peu à peu l'obscurité. Il y a quelque chose qui bloque le passage par terre. Je m'agenouille pour voir de quoi il s'agit. C'est une grande valise noire. Elle est lourde, je dois m'adosser au cadre de porte pour la tirer vers la lumière du couloir.

Dans l'un des compartiments, il y a un sac de couchage, une paire de bottes, un imperméable jaune et des vêtements propres. Dans un autre, des vivres de toutes sortes ont été soigneusement stockés. Des conserves, des pots de confiture, des biscuits secs, des barres de chocolat, des dattes séchées. Je remarque entre autres les deux bouteilles de vin de Joseph et les briques de pemmican.

Je viens de dénicher les réserves de Matthias. C'est là-dedans qu'il entrepose tout ce qu'il peut, discrètement, la nuit, comme une petite bête têtue et avare.

Je fouille encore et je tombe sur des piles de tous les formats, deux lampes de poche, une carte routière détaillée, des couteaux de différentes tailles, de la corde, une boussole. Tout le nécessaire pour une expédition. Tout le nécessaire pour partir, sans préavis. Je trouve même un réveil. Il fonctionne encore. En observant ses aiguilles courir d'un chiffre à l'autre, je me rends compte que ça fait longtemps que mes journées ne sont plus découpées en heures. Le temps est devenu une espèce de magma visqueux entre l'éveil et le sommeil. Le réveil indique quatorze heures dix lorsque je le glisse dans ma veste.

En replaçant le tout, je remarque une pochette sur le côté de la valise. Je l'ouvre et tombe sur une petite boîte en carton. Des cartouches de revolver. Je saisis maintenant ce que Matthias a glissé sous sa ceinture, ce matin.

Je replace la valise dans l'entrée de la cave, ferme la porte avec précaution et me dépêche de regagner la véranda pour me réchauffer près du poêle.

Deux cent huit

De lourds nuages gris enveloppent le paysage. Ils survolent la forêt à basse altitude et caressent la cime des arbres en abandonnant quelques flocons.

Matthias est rentré depuis un moment, mais il n'a pas dit un mot. Nous avons mangé du riz blanc avec quelques sardines. Après le repas, il s'est laissé tomber sur le divan, les yeux grands ouverts, comme un animal mort. Et il n'a pas bougé depuis. Dehors la lumière faiblit. La nuit est tapie à l'orée des bois et elle s'avance vers nous à pas de loup.

On dirait que le village tourne au ralenti, finit par prononcer Matthias, démoralisé. Jude et les autres ne sont pas revenus, la plupart des gens restent terrés chez eux. Certains pensent qu'ils ont eu des ennuis avec le minibus.

Tu crois qu'ils vont revenir ?

Matthias soupire et sort de ses poches le trousseau de clés que lui a donné Joseph.

On m'a raconté qu'ils sont partis avec l'essence, les armes et une bonne part des réserves.

Au coin de ses yeux et sur son front, ses rides lui donnent un air de soleil couchant avant la tempête. Je me tourne vers la fenêtre et remarque que les flocons se liquéfient dès qu'ils heurtent la vitre. On dirait bien que la neige va se changer en pluie.

Matthias jongle avec ses clés et observe longuement le petit orignal en plastique.

Ils sont partis, répète-t-il sèchement. Ils ont menti à Jonas, ils ne reviendront pas. J'aurais dû m'en douter.

L'obscurité gagne la véranda, mais aucun de nous deux ne semble prêt à fournir un effort pour allumer la lampe à huile. J'ai l'impression que Matthias fait la même chose que moi, il compte les gouttes d'eau qui tombent en essayant de trouver le sommeil.

Pour l'instant on a encore de bonnes réserves, dit-il après un moment, mais il va falloir s'organiser autrement pour la nourriture. On n'a pas le choix.

Je fais comme si je n'avais rien entendu et je pense à la valise qu'il cache de l'autre côté. Et au réveil dans la poche de ma veste.

Deux cent deux

C'est un matin sans lumière. Un soleil terne erre de l'autre côté des nuages. Pour la première fois depuis le début de l'hiver, il fait au-dessus de zéro. Il pleut et le décor boit tout, se compacte et s'affaisse.

Aujourd'hui, en m'agrippant aux renforts, j'ai tenté de mettre un peu de pression sur ma jambe gauche. Doucement, sans la forcer. Je ne suis pas arrivé à faire un pas, mais je crois que je finirai par y arriver. Bientôt.

Le toit coule de plus en plus. Les gouttes se sont rapprochées les unes des autres et elles se laissent choir avant même que la précédente ait terminé sa chute. Matthias doit vider le seau régulièrement pour qu'il ne déborde pas. On a l'impression que tout va plus vite, mais le tic-tac réconfortant du réveil me rappelle que les minutes s'écoulent toujours aussi lentement.

J'interpelle Matthias et lui demande quelle heure il peut bien être selon lui.

Pourquoi veux-tu savoir ça ? réplique-t-il, agacé, ça n'a aucune importance.

Pour savoir, dis-je pour le narguer.

Et je sors le réveil de ma veste.

Il ne manquait plus que ça, grogne-t-il, maintenant que tes béquilles te permettent de te déplacer comme tu veux, tu fouilles dans mes affaires, c'est ça ?

Furieux, il m'enlève le réveil des mains et le dépose sur la table. Les aiguilles indiquent onze heures vingt-quatre.

À onze heures vingt-huit, Matthias saisit le seau et sort pour aller le vider dehors. Mais, en prenant son élan pour jeter l'eau, il perd pied et tombe à la renverse. J'empoigne mes béquilles et je me rends jusqu'au seuil. Matthias roule sur le côté en émettant un long geignement. Il reste à quatre pattes un instant, puis se relève en s'appuyant sur ses genoux. Il pose une main dans le bas de son dos et se penche pour reprendre le seau. Prudemment, il fait quelques pas jusqu'à l'intérieur.

Dehors il pleut toujours et tout est recouvert d'une couche de glace. L'entrée est périlleuse, la neige est luisante, les branches des arbres plient et brillent.

Pousse-toi, me lance Matthias, le visage serré par la douleur, laisse-moi passer.

Quand je referme la porte et me retourne, Matthias lance violemment le seau contre le mur.

Ils sont partis en ville ! Tu as compris ? Où veux-tu qu'ils soient allés ? Ils ont pris tout ce qu'ils pouvaient et ils m'ont laissé derrière. C'est ça qui s'est passé, rien d'autre !

Matthias s'agite comme un ours pris au piège. J'essaie de regagner mon lit sans attirer son attention, je m'allonge en retenant mes mouvements et je fais le mort.

Ils se sont moqués de moi ! gueule-t-il en assénant un coup de pied sur le seau qui a roulé jusqu'à lui. Et je n'ai rien vu venir. Tu te rends compte ? Un homme de mon âge ! De jeunes insignifiants, vous êtes tous de jeunes insignifiants ! Vous ne comprenez rien. Vous ne respectez rien ! Je veux revoir ma femme ! C'est simple, non ? Mon temps est compté. J'ai beau prier, tout est déjà derrière moi. Je veux la retrouver, je veux être à ses côtés. C'est tout ce qui m'importe. Je me fiche du reste.

Deux cent cinq

Le réveil indique seize heures cinquante. Malgré le tapage de Matthias, je me suis endormi. Je remue les jambes et m'assois dans mon lit. Le seau bosselé est sous la table et la fuite dégoutte directement sur le plancher. Une petite rivière traverse la pièce en cherchant le niveau de la mer.

Matthias dort sur une chaise, la bouche ouverte, la tête penchée en arrière. On pourrait croire que son cœur a arrêté de battre. Sur la table devant lui, il y a son trousseau de clés, un livre et une bouteille de vin. Vide.

Il pleut toujours et tout est emprisonné sous une épaisse couche de glace. Certains arbres sont couchés au sol. D'autres ont perdu d'énormes branches. Les poteaux électriques sont inclinés dans la neige, emportés par le poids des fils. Le verglas a fossilisé le décor dans du verre, du cristal. Même l'échelle à neige a été pétrifiée sur place.

Dès que je m'étire pour saisir mes béquilles, Matthias ressuscite, comme s'il venait de recevoir une gifle.

Où penses-tu aller comme ça ? grommelle-t-il, les dents tachées de vin et la bouche pâteuse.

Regarde à l'extérieur, allez, regarde, insiste-t-il en désignant vaguement la fenêtre. Hein, où penses-tu aller ? Il n'y a nulle part où aller. On nous a abandonnés. Regarde, je te dis ! Regarde tant que tu veux ! Il n'y a plus rien à voir. Nous sommes pris au piège dans une mer de glace. Vingt mille lieues sous l'hiver.

Ses yeux vitreux scintillent, puis s'éteignent. Il saisit le goulot de la bouteille de vin et en suçote les dernières gouttes.

On ne pourra jamais s'échapper d'ici, ajoute-t-il en déposant bruyamment la bouteille sur la table. L'hiver ne nous laissera pas une seconde chance.

Matthias éructe, pivote sur sa chaise et consulte le réveil. Il est dix-sept heures trois.

Ça s'est passé il y a plus de deux siècles, me raconte Matthias en montrant le livre devant lui, dans une ville pieuse et magnifique, célèbre pour ses églises, ses basiliques et sa cathédrale. C'était un matin tranquille, même les vagues entraient dans le port sur la pointe des pieds. À cette heure-là, toute la population était rassemblée pour assister à la messe. Puis, soudainement, l'eau s'est retirée des rives de la cité. Les oiseaux se sont envolés. Les chiens se sont mis à aboyer en cherchant leurs maîtres. Et la terre a tremblé. Des lézardes ont fissuré la pierre, les joints de mortier se sont ouverts et des filets de poussière ont chuté au sol. Les arches sculptées, le pinacle des clochers, les dômes peints, rien de cela n'a résisté. Et les voûtes se sont écroulées sur les gens qui priaient. Enterrés vivants dans les églises. Lorsqu'ils sont sortis dans les rues pour constater les dégâts, insiste Matthias en jetant un coup d'œil au crucifix au-dessus de la porte, les rescapés ont été emportés par un raz-de-marée.

La nuit avale lentement le décor. C'est un serpent qui digère sa proie. Matthias s'empare de la lampe à huile en dodelinant de la tête. Plusieurs allumettes se brisent entre ses doigts avant qu'il ne parvienne à faire jaillir une flamme dans le globe étroit. Moi, j'écoute les secondes tourner en rond autour du réveil, comme si elles cherchaient à gagner du temps.

Et veux-tu bien me dire ce qu'on fabrique ici ? hurle-t-il en agitant les mains au-dessus de sa tête. On est pris. On est coincés. On est fichus. Regarde le réveil, observe le mouvement des aiguilles, écoute le tic-tac. Ce n'est ni la neige ni le froid, ni l'obscurité ni la faim. C'est le temps, c'est le temps qui viendra à bout de nous. Il est dix-sept heures quinze, et aucune prière ne pourra nous sortir d'ici. Tu m'entends ?

Matthias se lève en pointant le doigt vers moi, chancelle, puis se rassoit.

Aucune prière, répète-t-il, la voix éraillée.

Il est dix-sept heures vingt. Matthias s'est calmé. Ses paupières s'affaissent peu à peu en se laissant hypnotiser par le silence qui scinde chaque seconde.

Tu devrais peut-être t'étendre sur le divan, lui dis-je doucement.

Ses yeux s'ouvrent alors comme les tisons d'une forge sous les coups d'un soufflet.

C'est toi qui me dis quoi faire maintenant ? C'est toi qui me maternes ? C'est toi qui décides désormais, qui commandes ? Tu boites peut-être, mais tes plaies se sont bien refermées. Tu n'as plus besoin de moi, c'est ça ? Ma présence t'encombre, te dérange, et tu cherches à me le faire comprendre. Tu vas mieux, certes, mais qu'est-ce que tu comptes faire maintenant ? Tu as quelque part où aller ? Tu veux rester ici ? La neige s'accumule, la nourriture manque et les gens désertent le village. Je ne peux pas croire que je suis encore ici, vocifère-t-il entre ses dents, je ne sais même plus comment tout cela est arrivé.

Ses pupilles convergent dans ma direction, comme un viseur qui me garde en joue.

C'est de ta faute, tout est de ta faute !

Puis, il empoigne le réveil et le lance vers moi de toutes ses forces. J'ai à peine le temps de me pencher que celui-ci éclate en morceaux en heurtant le cadre de la fenêtre. Je lève les yeux et j'aperçois la bouteille de vin tournoyer dans les airs avant qu'elle se fracasse juste au-dessus de ma tête. Matthias se lève en renversant sa chaise, contourne la table et avance lourdement dans ma direction. Je voudrais bouger, réagir, mais je suis figé sur place. Matthias se tient au-dessus de moi comme un nuage en forme d'enclume. J'entends l'air entrer dans ses poumons, tourbillonner dans sa poitrine et ressortir par ses narines. Il me saisit le menton et me force à le regarder en face. Je sens ses doigts serrer ma mâchoire, écraser mes joues. Je ne sais plus qui est ce vieil homme aux yeux globuleux, durs et noirs. Je ne sais pas ce qu'il veut ni ce qu'il va faire.

Joseph n'est plus là pour prendre ta défense, dit-il, la bouche pâteuse. Personne n'est plus là pour personne. Tu as compris ? Tu vas mieux.

Tu parles et tu te déplaces. Mais rien n'a changé. Ici, c'est moi qui décide. Tu as compris ? Ici, tu fais ce que je te dis. Réponds-moi ! Tu as compris ?

Des postillons s'écrasent sur mon visage immobilisé par sa main osseuse. J'étire le bras pour saisir une de mes béquilles. Matthias devine mes intentions et s'en empare avant moi. D'une main, il repousse les béquilles hors de ma portée et, de l'autre, il resserre sa poigne en maintenant ma tête bien enfoncée dans les ressorts du matelas.

Regarde-moi, tonne Matthias, j'ai deux fois ton âge ! Je ne me laisserai pas faire. Pas par toi. Pas par Jude. Pas par personne ici !

Nos souffles sont courts et saccadés. Nos regards sont soudés l'un à l'autre. Pendant une fraction de seconde, je crois apercevoir les muscles de son visage qui se relâchent.

Et tout se passe très vite. Je lâche un grand cri. Matthias sursaute. Je le repousse et me défais de son emprise. Je me laisse tomber en bas de mon lit et je rampe vers la porte sans faire attention aux éclats de verre qui jonchent le sol. Matthias m'agrippe par une cheville. Je me débats en ruant avec l'autre jambe. Bien que la douleur me torde la vue, je parviens à lui asséner un coup de pied dans le bas du ventre. Matthias perd le souffle, puis l'équilibre. Il bascule vers l'arrière, heurte un renfort et l'emporte dans sa chute.

Quand il se redresse parmi les chaises renversées, ses narines sont dilatées et ses paupières ne clignent plus. Il me dévisage, saisit une de mes béquilles et la brandit dans les airs comme un gourdin. J'évite le premier coup en m'acculant au mur. Je pare le deuxième en me protégeant avec le tabouret de l'entrée. J'esquive encore quelques attaques en cherchant une issue. Si je parviens à me relever, il me fera chuter. Si j'ouvre la porte pour prendre la fuite, je ferai à peine quelques mètres. Je lance le tabouret, mais je n'ai pas assez de force et il retombe avant d'atteindre sa cible. Matthias revient à la charge, je roule sur moi-même, la béquille entre durement en contact avec un renfort, qui se décroche sous la force de l'impact. Matthias rugit car le choc a dû résonner très fort entre ses mains.

Matthias reprend son élan alors que je tente de mettre la main sur le tisonnier. Tout à coup, un bruit sourd nous fait sursauter. Matthias se fige sur place, moi je reste recroquevillé dans un coin sans le quitter des yeux. On entend de l'eau ruisseler sur le plancher. Matthias revient progressivement à lui-même et regarde l'état de la pièce avec étonnement. Je relève la tête et jette un bref coup d'œil au plafond. Il y a maintenant quatre ou cinq fuites. Et la fenêtre qui jouxte mon lit est fissurée de part en part.

Un grondement fait alors trembler la véranda. Quelques secondes plus tard, la vitre de la fenêtre éclate en morceaux, les glaçons se décrochent de la corniche et le froid plonge tête la première dans la pièce.

Matthias reste interdit, debout comme un monument d'une époque révolue. Dehors la pluie s'est reconvertie en neige et le vent s'empresse de souffler des flocons à l'intérieur, sur le plancher, sur le lit, autour du poêle. Les poutres émettent des grincements inquiétants. Matthias tourne la tête vers moi. On dirait que l'hiver marche sur nos têtes. Puis, une partie du plafond s'affaisse et projette violemment Matthias au sol sous une tonne de décombres, de morceaux de tôle et de blocs de glace.

5

Dédale

Tu voleras, tu fileras droit devant, les bras en croix, en te laissant porter par les airs. Moi, je te surveillerai d'un œil et je prendrai de l'altitude. Discrètement, sans attirer ton attention. Comme un équipier qui brise les règles du jeu, je me laisserai griser par le vol. Là-haut, tout sera plus clair, tout sera plus beau et enfin je pourrai m'abandonner à la lumière.

Deux cent cinq

La véranda n'est plus qu'un amas de débris enneigés, un large morceau de ciel apparaît au-dessus de nous. Épargné par l'effondrement, je constate que la lampe à huile s'est fracassée par terre et que l'huile renversée continue de brûler. Je me relève et me dépêche de jeter de la neige sur les flammes. Il fait soudain très noir et la brèche dans le plafond laisse passer la lumière de la nuit. Je m'avance vers Matthias. Il est inconscient, mais il respire encore, je crois. Ses jambes sont ensevelies sous une poutre rompue, de la tôle froissée et de la neige. Je tente de le décoincer en tirant sur ses bras, sans y arriver. Je m'agenouille à ses côtés et creuse la neige avec mes mains. J'écarte les blocs de glace, retire les morceaux de tôle et, avec un bout de bois, empêche la poutre de s'affaisser davantage et d'écraser ses jambes. Malgré le froid qui m'engourdit de plus en plus, j'arrive à le saisir par les aisselles et à le traîner sur le sol. Il est lourd. Comme un cadavre à cacher. Je fais une pause en levant les yeux un instant vers le ciel neigeux. Nous avons eu de la chance malgré tout, car une partie du toit est restée en place.

Tout aurait pu s'arrêter là, dis-je en frémissant, tout aurait pu s'arrêter là. Mais ce n'est pas le cas.

Je me ressaisis, agrippe Matthias de nouveau et disparais avec lui de l'autre côté.

Deux cent cinq

J'installe Matthias sur le canapé du salon avec quelques couvertures trouvées à l'étage. Je pense à lui ligoter les mains, mais je ne le fais pas. Je revois la scène en boucle et je ne comprends pas. L'homme qui était rouge de colère un peu plus tôt paraît maintenant pâle et fragile.

Il n'y a pas de bois dans la pièce. Pour allumer un feu dans le foyer, je brise deux chaises en morceaux. Mais le bois se consume vite et la chaleur s'enfuit dans la large cheminée de pierre.

Pendant un moment, je tente de trouver le sommeil en me repliant sur la causeuse, mais j'ai froid et mes jambes me font souffrir. Je me lève, je casse une autre chaise et je m'assois devant le foyer en massant mes jambes.

La nuit avance et je regarde cette pièce dans la lumière vacillante des flammes. Les bibliothèques à moitié vides, les tiroirs ouverts des meubles, les éclats de vaisselle, le désordre. Tout cela me rappelle des images de tremblement de terre, de raz-de-marée.

Je vais à la fenêtre et tire les rideaux. Une lueur grise chasse la nuit et se réfracte sur le verglas accumulé. D'ici, j'ai à peu près la même vue que de la véranda. Avec la forêt, la clairière et l'échelle à neige. Il ne manque que le baromètre en bois. Inlassablement, quelques flocons tentent d'apaiser l'appétit du sol, mais ils sont balayés par le vent. Le décor s'incline, fossilisé dans la glace. Même les grandes épinettes regardent par terre. Plus loin, on imagine facilement que les pylônes des lignes à haute tension embrassent le sol en signe d'obéissance.

Matthias n'a pas bougé. Je vérifie son pouls. Tout semble normal. Je ne sais pas s'il dort ou s'il est inconscient. J'ausculte rapidement ses jambes. Quelques éraflures, de légères contusions, rien de plus. Il l'a échappé belle, la poutre aurait pu lui broyer les tibias.

Quand le soleil donne une teinte plus claire aux nuages, je fais un aller-retour dans la véranda pour récupérer l'essentiel avant que la neige en prenne possession. En ouvrant la porte, je guette ce qui reste de la structure chancelante du toit. Quelques poutres qui retiennent des tonnes de neige. Des feuilles de tôle disloquées. Des planches fendues d'un bout à l'autre. Des clous tordus. Alors, après avoir examiné le tout, je prends une grande respiration et m'aventure dans cette nef échouée qui menace de sombrer à tout instant.

La première chose que je remarque en contournant l'amas de glace et de débris au milieu de la pièce, c'est l'une de mes béquilles, celle que Matthias a abîmée en heurtant un renfort. Sans m'y attarder, je vide les étagères, je prends ce qui était sur le comptoir. Je décroche la scie à bûches, les casseroles et rapporte mes trouvailles de l'autre côté, en boitant.

Lorsque je reviens, je m'acharne à tasser la neige, les blocs de glace et les décombres. Il me faudrait plus de temps. Et une pelle. Malgré tout, je tombe sur quelques conserves, une de mes attelles, la hache, les raquettes de Matthias. Peu de choses en réalité. Les avalanches dérobent tout sur leur passage.

À genoux par terre, je dois me rendre à l'évidence. Ça ne sert plus à rien de creuser. La véranda n'est plus qu'un toit éventré par un monticule de neige. Un château fort, gagné par l'ennemi.

Un bout de ciel bleu apparaît au-dessus de ma tête, dans la brèche du toit. Les poutres du plafond se remettent à grincer. Je songe à regagner l'autre côté. Quand je ferme la porte, les cloisons vibrent et l'autre pan du toit s'effondre dans un vacarme final. J'essaie de rouvrir la porte, je pousse dessus, je lui donne des coups d'épaule, mais elle ne bouge plus.

Ça y est, me dis-je, tout le reste de nos affaires est enseveli sous la neige et la glace. Nos vivres, le bois de chauffage, ma carte topographique, tout.

Lorsque je remets les pieds dans le salon pour faire le décompte de nos réserves, Matthias a les yeux grands ouverts.

C'était quoi, ce bruit ? Qu'est-ce qui se passe ? Où est-on ? Où est ma femme ? Comment va-t-elle ?

Ferme-la ! l'avertis-je, complètement découragé.

Deux cent seize

Ça fait maintenant quelques jours que nous sommes installés de l'autre côté. Les grands froids sont de retour. Les journées sont éblouissantes et les nuits sont longues. Matthias et moi dormons quelques heures à tour de rôle, pour nourrir le feu. Le foyer devait être décoratif, car si on laisse mourir les braises, il faut près d'une journée pour que la pièce se réchauffe de nouveau.

Matthias se rétablit particulièrement vite. Comme s'il ne lui était rien arrivé. Une petite plaie sur le front, quelques égratignures sur les jambes, c'est tout. Il n'est jamais revenu sur ce qui s'est passé dans la véranda. Peut-être qu'il a honte. Peut-être s'en moque-t-il éperdument. Enfin, il ne me parle que du livre qu'il vient de terminer dans lequel un homme perdu dans une forêt obscure trouve la porte qui mène aux enfers.

Je l'écoute en me disant que je ferais peut-être mieux de me débrouiller seul. D'aller m'installer ailleurs dans le village. Mais je doute de pouvoir y parvenir. Comme des forçats affectés à la même besogne, Matthias et moi devons nous résigner à notre sort.

D'ailleurs, aujourd'hui, nous avons aménagé le salon, réduit en pièces quelques meubles, puis mis de l'ordre dans nos précieuses victuailles. Nous avons aussi sorti la télévision. À cause du reflet de l'écran. Le soir, il réfléchissait la lumière des bougies et du foyer, c'était bien. Par contre, dans la journée, il nous renvoyait notre image. Nos visages maigres, nos cheveux gras, nos barbes de naufragés et nos vêtements sales et troués.

On fait une pause pour partager une conserve de maïs. Matthias propose d'aller au village cet après-midi, voir s'il peut mettre la main sur de la nourriture.

Dès qu'il sera parti, me réjouis-je, je vais fouiller dans ses réserves secrètes dans l'entrée de la cave. Dès qu'il sera parti.

Tu as dit quelque chose ? demande Matthias, en s'assurant qu'il ne reste plus rien dans le fond de la conserve.

Non, pourquoi ?

Comme ça.

Plus tard, alors que je suis en train de m'assoupir en reposant ma jambe, j'ai l'impression d'entendre de nouveau la petite bête. Elle longe les murs, elle se faufile dans l'entrebâillement des portes et vérifie que ses réserves sont toujours à leur place.

Je me réveille en sursaut. Matthias n'est plus là. Je regarde par la fenêtre. Une neige impitoyable s'empare du paysage. J'aperçois une ombre lente qui se dirige vers le village en traînant une valise.

Deux cent dix-sept

Je le savais.

La valise n'est plus sur le palier de la cave. Devant moi, il n'y a que l'escalier qui s'enfonce dans le gouffre de la cave. Je pense un instant au personnage du livre de Matthias et j'amorce ma descente dans les ténèbres. Peut-être y ferai-je quelques découvertes qui ont échappé à l'attention de Matthias.

Avec les efforts des derniers jours, j'ai l'impression que ma jambe gauche pourrait flancher à tout moment. Oui, j'arrive à marcher, mais je suis encore faible et il me faudrait trouver une nouvelle paire de béquilles, ou une canne, enfin, quelque chose sur quoi m'appuyer.

D'une main, je me guide comme je peux en m'appuyant sur le mur, de l'autre, je tiens une chandelle qui éclaire l'escalier autant qu'elle m'aveugle. La descente est abrupte et les marches craquent à chacun de mes pas. On dirait que les limons pourraient céder sans préavis. Dès que je mets le pied au sol, je sens l'haleine fétide de la terre humide.

J'explore la cave en courbant l'échine pour ne pas me cogner la tête sur les croix de contreventement ou sur le cuivre étincelant de la plomberie. On dirait que personne n'est venu ici depuis le début de la panne. Mais c'est impossible, je parie que Matthias connaît cet endroit par cœur. Et que d'autres sont passés ici avant lui.

Un poêle imposant trône au centre de la pièce. Il dort profondément. Ses yeux sont clos sous son masque de fonte et de suie. C'est lui qu'il faudrait réveiller pour chauffer convenablement la maison. Mais, autour, il n'y a rien que je pourrais mettre dans son ventre pour le ranimer. Des écorces de bouleau traînent par terre avec un peu de bois d'allumage. C'est tout.

En faisant un tour sur moi-même, je repère un établi où des outils reposent parmi les vis, les clous et les boulons. Le long du mur, il y a aussi de hautes étagères avec des bacs, des pneus, de la corde et des coffres à pêche. Une paire de raquettes et des bâtons de ski attirent mon attention.

Ça y est, me dis-je avec satisfaction, j'ai trouvé ce qu'il me faut.

Je parcours systématiquement la cave, en scrutant chaque recoin, en inspectant quelques boîtes, en prenant mon temps. Sous l'escalier, je trouve une tronçonneuse, un bidon d'essence presque vide et un litre d'huile. Sur un mur, je détecte le panneau électrique de la maison. Je l'ouvre et actionne les disjoncteurs avec un espoir construit de toutes pièces. Mais il ne se passe rien. Ma bougie sera bientôt entièrement consumée et je dois l'éteindre avant qu'elle ne me brûle les doigts. Une obscurité souterraine se referme sur moi. Peu à peu, mes yeux s'accoutument et je distingue la lueur bleue de la surface en haut de l'escalier. J'ai beau m'appuyer solidement sur mes bâtons de ski, je crains que mon pied glisse et ne reste coincé entre deux marches. Ou qu'un monstre me saisisse par les chevilles et me traîne dans le noir pour me dévorer.

Quand je lève la tête, je vois une ombre sur le palier. C'est Matthias.

Je suis étonné de le voir. Je ne l'ai pas entendu rentrer et, à vrai dire, j'espérais qu'il ne revienne jamais.

Il saisit mes raquettes et mes bâtons, puis m'aide à gravir les dernières marches.

Il fait sombre là-dedans, n'est-ce pas ?

En effet, dis-je en me rendant dans le salon.

On dirait que le verglas a écrasé le village, commence Matthias derrière moi. Des arbres et des lampadaires ont été renversés en pleine rue. Certaines maisons ont été entièrement scellées par la glace. Pétrifiées. Et il n'y avait personne nulle part. Je suis allé cogner là où il y avait du feu dans la cheminée. On m'a fait entrer. Les gens qui m'ont accueilli étaient cernés et maigres. Mais ils étaient gentils. Ils m'ont demandé qui j'étais. Je leur ai tout expliqué, puis ils m'ont donné trois des perdrix qu'ils avaient capturées dans la journée. La nourriture est de plus en plus rare, m'ont-ils averti. Le peu qui restait a été mangé en une dizaine de jours et depuis, pour en trouver, il faut fouiller partout. Et chasser. Il paraît aussi qu'un autre groupe a quitté le village, juste avant le verglas. Ils voulaient profiter du temps doux pour atteindre la côte. Ils disaient que l'électricité avait été rétablie dans ce secteur. Que des gens étaient parvenus à rediriger l'énergie des éoliennes. Ils étaient près d'une quinzaine, en raquettes, en ski, avec les enfants, la nourriture et les bagages dans des traîneaux. Jacques serait parti avec eux. Je ne savais même pas qu'il était encore dans les parages.

En l'écoutant, je prends une des perdrix. Elle est dodue et rousse. Je mets les pieds sur les ailes et tire sur ses cuisses. Tout le plumage reste au sol tandis que la poitrine apparaît intacte entre mes mains. Je rajoute une porte d'armoire dans le feu et coupe la chair en fines lamelles. Lorsque les braises sont bien rouges, je les fais revenir dans une poêle que je dépose directement sur le feu.

Matthias me regarde faire en salivant.

Après le repas, il s'étend sur le divan en fixant distraitement le plafonnier.

Où est la valise noire qui était sur le palier, dans l'entrée de la cave ?

Matthias tourne lentement la tête vers moi.

Tes réserves, poursuis-je, où sont-elles ?

Je ne sais pas de quoi tu parles, balbutie-t-il. Nos réserves sont condamnées dans le garde-manger de la véranda sous une tonne de débris.

J'ai vu la valise sur le palier de la cave, elle était noire, je l'ai vue et elle n'est plus là.

Peut-être, mais nous venons de manger une délicieuse perdrix. Tu devrais t'étendre et dormir un peu, ça te ferait du bien.

Je fulmine et jette quelques barreaux de chaise dans le feu. Autour de nous, la pièce apparaît et disparaît dans la danse de l'ombre et des flammes.

Il nous reste encore quelques vivres. Et deux perdrix. On est bons pour quelques jours encore, relance Matthias. On a perdu beaucoup de choses dans la véranda, mais, d'ici peu, on aura fait d'autres trouvailles. Ne t'inquiète pas. Dors, me suggère-t-il, je vais veiller sur le feu.

Je me couche en boule, le plus loin possible de Matthias et le plus près possible du foyer. Comme un chien errant qui ne fait plus confiance à personne. Ce soir encore, je pense à mes oncles et à mes tantes. Je les imagine rire de la démesure de l'hiver et je me dis que l'entêtement finit par avoir raison de tout. Même si je n'ai plus la carte topographique que Joseph m'avait donnée, j'ai en mémoire le x de leur camp de chasse près de la rivière. Mais je me souviens aussi de la légende, dans le bas de la carte, qui indiquait que je ne suis qu'un point minuscule devant la puissance écrasante de la forêt.

Deux cent quarante-deux

La neige n'a pas arrêté de tomber depuis cinq jours. Le verglas est déjà loin maintenant, enfoui comme une couche de roche sédimentaire dans une paroi rocailleuse.

Pour nous chauffer, nous avons désormais brûlé la plupart des meubles de la maison ainsi que les étagères, les rampes d'escalier et les portes des chambres.

Nos réserves de nourriture arrivent à leur fin. Nos repas se ressemblent, mais Matthias mange tout ce que je lui sers sans jamais ajouter quoi que ce soit. Comme s'il refusait de se remettre à cuisiner. À plusieurs reprises, j'en profite pour l'interroger au sujet de ses provisions secrètes. Chaque fois, il nie, récuse mes allégations et les tourne en dérision.

Hier par contre, mon obstination l'a mis en colère. Il a lancé son livre au sol, a empoigné un de mes bâtons de ski et m'a menacé en criant. Son regard était dur et brillant comme une veine de quartz. Même si je sentais la peur liquéfier mes os de l'intérieur, je le regardais fixement, sans réagir. Puis, il a inspiré profondément, s'est calmé et s'est rassis. Quelques instants plus tard, il me souriait, car il avait réussi à esquiver la question, encore une fois.

La fin de la journée se devine sur le paysage. Les montagnes sont empourprées de la lumière du soir. Ce sont les premiers rayons de soleil qu'on aperçoit depuis longtemps. Mais la nuit les fait disparaître en quelques instants.

Matthias lit à la lueur d'une chandelle. De temps à autre, il baisse les yeux et joue dans la cire chaude avec ses doigts avant de reprendre sa lecture. La flamme éclaire son visage en contre-plongée et l'ombre de son nez s'ajoute à celle de son arcade sourcilière en traçant un grand trait noir sur son front. On dirait qu'il porte un masque.

Plus tard alors que je pèle quelques patates, Matthias vient s'asseoir à mes côtés en agitant pensivement l'orignal en plastique qui orne son trousseau de clés.

J'ai une histoire pour toi, proclame-t-il, je viens tout juste de la lire, écoute bien. Il y a très longtemps vivait un humble paysan. Il était besogneux, mais ses champs étaient aussi pauvres que lui. Un automne, à sa plus grande surprise, il vit ses terres lui rapporter comme jamais il n'avait osé l'imaginer. Et, à partir de cette année-là, ses récoltes furent plus abondantes les unes que les autres. Mais, comme il ne pouvait expliquer ce miracle, il n'en glissa un mot à personne. Il bâtit un immense grenier et il y stocka tout ce qu'il put. Quand celui-ci fut plein, il en construisit un autre, plus grand encore. Ainsi choyé par la providence, il se réjouissait de son sort. Aucun événement malheureux ne pouvait désormais l'atteindre. Son avenir était assuré, il n'avait maintenant qu'à se reposer, boire et manger. Un jour, un voisin vint lui rendre visite pour lui emprunter une faux, car la sienne était brisée et le sort de sa famille dépendait de ses récoltes. Mais il ne trouva le paysan ni dans ses champs ni dans sa maison. Inquiet, il fit le tour de la ferme. Quand il vit les greniers immenses et débordants, il fut stupéfait. Mais il fut plus surpris encore de trébucher sur le cadavre du paysan étendu par terre. Comme si son âme lui avait été reprise brusquement, sans aucun avertissement, alors qu'il déambulait paisiblement dans son domaine.

Je retire les patates de l'eau. Nous les laissons refroidir en regardant la vapeur se dissiper progressivement.

Tu vois, continue Matthias, c'est pour ça que je ne te cache rien. Si j'avais des réserves, je les partagerais avec toi.

Je hausse les sourcils.

Nous avons besoin de nourriture, de plus de chandelles ou d'une lampe à huile, affirme-t-il. Nous avons besoin de plein d'autres choses encore, mais il faut nous concentrer sur l'essentiel.

Je ne dis rien. Je me demande surtout ce que Matthias a fait de son revolver. Il est peut-être enseveli sous le toit de la véranda ? Ou dissimulé dans une valise remplie de provisions ? À moins qu'il ne soit toujours sous sa ceinture ?

Demain, je vais aller au village, poursuit-il, pour demander si on peut nous dépanner. Si ça ne fonctionne pas, je fouillerai des maisons abandonnées. Il doit bien rester des vivres quelque part.

Je me retourne vers lui.

Je vais t'accompagner.

Il n'en est pas question, me réplique-t-il sèchement. Demain, j'irai au village et j'irai seul. Tu me ralentirais. Et, si on te voit sur pied, les gens diront qu'on peut se débrouiller et ils ne nous donneront rien.

Je vais t'aider à inspecter les maisons inoccupées.

Regarde tes jambes, reprend-il, tu es en rémission, mais tu n'as pas encore d'endurance. Tu boites comme un clochard. Et moi, tu m'as vu ? Je n'aurai jamais la force de te traîner si tu t'effondres à mi-chemin. Dans quelques semaines, peut-être en seras-tu capable, mais, pour l'instant, oublie ça.

On verra, lui dis-je.

C'est ça, on verra, répète-t-il en soupirant.

Deux cent quarante-sept

Ce matin quand je m'éveille, Matthias n'est pas là, le feu est mort et il fait froid. Je n'entends que ma respiration et les battements sourds de mon cœur. Je m'habille en vitesse et monte à l'étage le plus vite possible, comme si je n'avais jamais eu mal aux jambes.

En me déplaçant d'une fenêtre à l'autre, je scrute les alentours. L'échelle à neige est là, dans la clairière, enterrée jusqu'au cou. Au loin, la forêt est toujours plombée sous le verglas. En bas de la côte, trois colonnes de fumée efflanquées tendent les mains vers les nuages. Puis, il y a les traces de Matthias qui descendent vers le village, on dirait une flèche en pointillé.

Je réfléchis un instant. Le village est à la fois tout près et très éloigné. Je sais que je vais mieux. Je le sens. Mais peut-être Matthias a-t-il raison ? Peut-être que je n'arriverais pas à me rendre au village. Peut-être suis-je encore trop faible. Trop impatient.

J'ouvre la guillotine de la fenêtre et je sors la tête dehors. L'air est bon et le froid longe mon corps langoureusement avant de pénétrer dans la maison. Je prends une grande inspiration et pose la main sur ma jambe gauche.

C'est le moment, me dis-je, je vais aller voir ce que fabrique Matthias. Je vais descendre au village.

Je dévale alors les escaliers en claudiquant, m'habille chaudement, prends mes bâtons de ski et mes raquettes, puis ouvre la porte.

Sur le coup, je suis aveuglé par la neige. Par la lumière sombre de la neige. Si je tombe, je sais que je n'arriverai jamais à me relever. Si je tombe, je disparaîtrai sous la surface et, dans des milliers d'années, on retrouvera peut-être la dépouille d'un ancêtre anonyme mystérieusement préservé par la glace.

Je me ressaisis, serre les mains sur mes bâtons et fais quelques pas. Aussitôt, j'ai l'impression de retrouver un sentiment de liberté que je croyais avoir perdu à jamais, sous ma voiture, dans la ferraille tordue et les éclats de verre.

Deux cent quarante-sept

La descente vers le village est plus longue que je le croyais, mais tout se passe bien. Je marche dans le sillon creusé par Matthias. Mes pas sont calculés et je m'appuie fermement sur mes bâtons.

Tout est tranquille. Normalement, avec ce froid, on entendrait un piaillement métallique dans les fils électriques, comme si des centaines d'oiseaux faisaient des allers-retours dans le conduit étroit. Mais, aujourd'hui, je n'entends que mes raquettes qui écrasent la neige et les lamentations du vent dans les câbles qui pendent ici et là. Certains me semblent si bas que je pourrais m'y agripper en levant les bras. Sans craindre d'être foudroyé par le courant.

J'arrive à l'entrée du village. Les premières maisons apparaissent à ma droite, ensevelies et muettes. Je m'arrête un instant et regarde autour de moi. Je n'ai jamais vu autant de neige. J'arrive à peine à le croire. Je marche à la hauteur des toits, des lucarnes et des cheminées. En temps normal, il y aurait d'immenses bancs de neige de chaque côté de la rue et j'avancerais entre ces murs blancs comme dans une tranchée.

La rue principale s'étend bien droite devant moi, mais je dois contourner les branches d'arbre et les lampadaires affalés qui bloquent le passage. Certaines maisons sont difficiles à repérer à cause de la neige qui s'est amassée autour d'elles. Un peu plus loin, je reconnais le garage de mon père. La pancarte qui indique le prix de l'essence émerge de la surface comme la main d'un noyé au-dessus des vagues. Je pense à ce monde enfoui sous mes pieds. Je me demande ce qui m'a pris de revenir ici. Et pourquoi je ne suis pas arrivé à laisser le passé s'éteindre de lui-même, dans les arcanes de ma mémoire. Je voulais revoir mon père, je voulais changer le cours des choses et j'ai échoué sur toute la ligne. Mon père est mort avant que je puisse lui parler et, quoi que je fasse, quoi qu'il m'arrive, je resterai toujours, comme lui, un mécanicien. Les grands choix de ma vie ont été faits il y a longtemps, je dois composer avec eux.

Je suis toujours la piste de Matthias. Elle rejoint un petit réseau de sentiers qui vont d'une maison à l'autre. Au bout de la rue, dans le calme glacial du village, j'aperçois une silhouette. Je ne crois pas qu'il s'agisse de Matthias, mais j'aurais aimé en être certain. Je regrette de ne plus avoir de longue-vue. La personne disparaît dans la rue transversale. Elle ne semble pas avoir noté ma présence. À moins qu'elle ait feint de ne pas m'avoir vu.

Plus loin, je reconnais la maison dont le toit a été ravagé par les flammes. Les chevrons calcinés contrastent avec le blanc de la neige et le verglas leur donne un lustre étonnant, noir et lumineux. On dirait que l'hiver s'amuse avec un squelette immolé qui n'a reçu aucune sépulture.

Je traverse le pont qui mène au centre du village. Un rayon de soleil fait son apparition et, pendant un instant, le temps semble s'être adouci. Près de l'édifice de la mairie, dans la lumière dorée, je vois un homme adossé à un arbre. Je plisse les yeux. C'est Jonas. Je reconnais son manteau turquoise. J'avance vers lui. Ma jambe commence à me faire sérieusement souffrir. Il va falloir que je me repose un peu. Quand je parviens à sa hauteur, Jonas me considère d'un air moqueur.

Je t'ai vu venir, dit-il en mastiquant quelque chose. Tu marches tellement lentement, ça donne le temps, ça donne le temps de te voir venir.

Qu'est-ce que tu manges ? m'enquiers-je en m'assoyant dans la neige.

Du pemmican, répond Jonas en me montrant fièrement le morceau qu'il tient entre ses mains, c'est Matthias qui me l'a donné. C'est bon, c'est bon du pemmican. Il ne reste plus beaucoup de viande au village. Personne ne peut aller chasser. Il n'y a plus d'armes à feu nulle part. On a cherché partout. Jude et les autres ont tout emporté. Et on ne sait plus quand ils vont revenir. En attendant, je ne veux pas qu'on abatte d'autres vaches. C'est moi qui prends soin d'elles. Je leur donne à manger, je nettoie l'allée et elles gardent l'étable au chaud. Je dors si bien sur la paille.

Il est parti dans quelle direction ?

Qui ça ?

Matthias, dis-je en cherchant son regard, Matthias.

Il est arrivé par là-bas. Nous avons parlé un moment. Il m'a promis qu'il me donnerait encore du pemmican si je l'aidais à trouver de l'essence. J'ai répondu que je verrais ce que je peux faire. Mais c'est facile, il en reste chez Jude. Il y a huit bidons et je suis le seul, et je suis le seul à savoir où ils se trouvent. Ça va me faire beaucoup de pemmican.

Il est allé où ?

Je ne sais pas, je crois qu'il est parti vers la patinoire. Par contre, il ne faut pas, il ne faut pas trop s'approcher de la patinoire. La neige, le toit s'est écroulé et les pans de mur cèdent un à un, sans avertissement.

Jonas penche la tête vers moi et m'observe en se grattant la tête.

Tu vas prendre froid assis par terre, me prévient-il.

Il m'aide à me relever et approche mes bâtons de ski.

En tout cas, l'hiver, l'hiver tire à sa fin. La rivière a commencé à craquer. On ne le voit pas, mais on l'entend. Si on écoute bien.

Nous ne disons rien pendant un moment. Et le silence est total.

Le temps est humide. La nuit dernière, il y avait un halo autour de la lune. Il va neiger prochainement. Encore une tempête, encore une, puis ça va commencer à fondre. Et après, après la neige, quand les routes seront praticables, je vais enfin pouvoir aller vendre mes bouteilles.

Où donc ? poursuis-je en souriant.

Sur la côte, quelque part, dans un magasin, rayonne Jonas. J'ai beaucoup de bouteilles et c'est lourd, s'assombrit-il. Ça prendrait une voiture. Et moi je ne sais pas, je ne sais pas conduire. Et je n'ai pas de permis. Matthias a promis, il a promis de m'y emmener si je lui trouvais de l'essence. Je peux lui faire confiance, tu crois ?

Je me racle la gorge.

Sans doute, dis-je en regardant l'église un peu plus loin, Matthias est un homme de parole.

Le visage de Jonas s'illumine de plus belle. Il me sourit, range sa brique de pemmican dans sa poche et repart.

J'évalue l'état de ma jambe gauche. Le répit lui a fait du bien. La douleur est stable. Je peux continuer.

Pendant que je me dirige vers la patinoire, les nuages se referment au-dessus du village et le décor prend ses allures ternes. Devant l'église, je remarque des traces de raquette dans la neige. Je lève la tête. Une des portes est entrebâillée. Je me rends sous le portique et, sans faire de bruit, je passe la tête dans le cadre de porte.

À l'intérieur, il fait sombre, mais la grisaille du jour dessine quelques faisceaux de lumière en passant par les vitraux. Sur l'un des bancs, près de l'autel, je reconnais la carrure voûtée des épaules de Matthias. Il est agenouillé et je l'entends marmonner quelque chose.

Je me retire et m'éloigne rapidement de l'église. Je me cache derrière le presbytère. Comme ça, il ne pourra pas me voir. Et moi, je saurai où il va.

Deux cent quarante-sept

Il ne fait pas très froid, mais, à force de rester immobiles, mes membres et les muscles de mon visage sont gagnés par l'engourdissement. J'éternue. Chaque fois, j'ai peur que Matthias ne soit sur le seuil et ne remarque ma présence.

La porte de l'église s'ouvre finalement et Matthias sort sous le portique. Il regarde autour de lui et regagne le sentier. Je le laisse prendre de l'avance en comptant jusqu'à dix et je me lance à sa poursuite. Je progresse en me dissimulant derrière les arbres tombés au sol, les poteaux électriques, le coin des maisons. Je me doute bien que Matthias n'est pas de ceux qui regardent sans cesse en arrière, mais on ne sait jamais.

Malgré son âge, Matthias avance vite et je peine à le suivre. À la hauteur de la patinoire, je le perds de vue. Je reste sur place et regarde la bâtisse assujettie par la neige. Ce n'est plus qu'un amas de tôle enfoui sous une avalanche de silence. Comme la véranda, mais en plus grand. Ce n'est pas une nef échouée, c'est un navire gigantesque qui a heurté un iceberg.

Il recommence à neiger. Les flocons sont si fins qu'on dirait qu'ils ont été broyés en poudre à l'intérieur des nuages.

Je reprends ma filature. En contournant la patinoire, j'aperçois Matthias qui pénètre dans une maison. Je m'arrête net. C'est la troisième maison à gauche, avant la sortie du village. La maison avec le garage. La maison où Joseph a grandi. Comme les autres autour, elle semble abandonnée depuis longtemps. J'approche prudemment en avançant dans la neige molle et me sens soudain très loin du salon et du foyer. Si je pénètre là-dedans et que Matthias me voit, il va se mettre en colère, et je n'aurai pas la force de le calmer. Ou de fuir. Je fais le tour de la maison en épiant par les fenêtres, mais il fait sombre à l'intérieur et je n'arrive pas à repérer Matthias. En revenant sur mes pas, je remarque une petite vitre sur le côté du garage. Elle est partiellement obstruée par la neige et je dois m'agenouiller pour y jeter un œil.

Je ne vois pas très bien. Matthias est derrière une voiture. Il ouvre le coffre et se penche. Il fouille dans une grosse valise noire. Un frisson me traverse. Je le vois qui manipule du pemmican, des conserves, des boîtes de biscuits. Il prend des notes sur un bout de papier et compte sur ses doigts. Quand il a terminé, il s'assoit derrière le volant, sort son trousseau de clés et contemple l'orignal en plastique accroché à l'un des anneaux. Il démarre la voiture et laisse le moteur rouler pendant un moment. Ses yeux luisent comme si l'un de ses vœux s'apprêtait à être exaucé. Puis, il coupe le contact, place une photo sur le tableau de bord et se met à prier.

Je soupire. Tout cela était prévisible. Je n'avais pas besoin de me rendre ici pour le comprendre. Matthias prépare son départ. Je ne peux pas l'en empêcher. Je suis jaloux, simplement.

Lorsque je me relève, je ne sens presque plus ma jambe. Je la frictionne un instant, la remue, mais cela ne change rien. En réajustant les courroies des raquettes, j'ai l'impression de m'appuyer sur un membre fantôme, mais, après quelques minutes de marche, les sensations reviennent peu à peu. Avec la douleur.

Derrière moi, mes traces sont bien visibles. J'espère que la neige qui tombe trompera l'attention de Matthias.

Je repasse devant la patinoire, puis devant l'église. Je traverse le pont et avance sur la rue principale. Ma jambe me fait souffrir. Une fatigue soudaine s'abat sur moi. Je crois que je devrais me reposer avant d'amorcer la montée du retour. Me reposer et me réchauffer.

J'emprunte l'un des sentiers qui bifurquent vers une résidence qui semble habitée même si aucune fumée ne s'élève de la cheminée. Tandis que je m'approche, la neige qui pèse sur le toit me donne une espèce de vertige. Je retire mon bonnet et mon écharpe, pour qu'on puisse voir mon visage, et je frappe à la porte. J'attends. Sur le perron, il y a plusieurs cordes de bois, hautes et droites. Je frappe avec plus de force. Rien. J'ouvre.

Il y a quelqu'un ?

Pas de réponse.

Je défais mes raquettes et pénètre dans la pénombre neigeuse de la demeure.

Il y a des traces de botte par terre. De la vaisselle sale sur le comptoir. Des boîtes de conserve vides. J'inspecte les armoires, il y a du riz et de la farine. Une bonne réserve de patates, de la viande en pots et du café instantané. Hypnotisé par ces réserves, je prends un peu de tout et le place dans un sac. Comme ça, rien ne paraît trop et je ne serai pas venu au village pour rien.

Je vais dans le salon et mets la main sur le poêle à bois. Le métal est encore tiède. Quelqu'un a fait du feu ici aujourd'hui. Je m'assois dans un des fauteuils du salon, dépose le sac sur mes genoux. J'ouvre mon manteau et expire longuement. Ma jambe me fait mal et je sens les battements de mon cœur passer près de mon genou.

Dans un coin de la pièce, près de l'escalier, il y a un tas de couvertures. Le sol est recouvert d'un grand tapis, de quelques morceaux de vêtements et de magazines. Mes paupières sont lourdes. Je résiste un instant, me secoue, me répète que j'ai encore une longue marche à faire. Puis, je m'assoupis en oubliant la douleur lancinante dans ma jambe.

Deux cent quarante-huit

Je me réveille subitement. J'ai entendu quelqu'un tousser. J'en suis certain. Ce n'était pas un rêve. Je me retourne en me sentant épié. Personne. Et plus un son dans la pièce.

Il fait encore clair, mais je ne sais pas combien de temps j'ai pu dormir. Je prends mon sac, me lève et me dirige vers la sortie. En refermant mon manteau, j'entends à nouveau quelque chose. Une espèce de râlement. Ça vient du deuxième étage.

Je vais voir.

Les marches craquent sous mon poids.

En haut, il y a un couloir et trois chambres. Les portes sont ouvertes. Je jette un œil dans la première pièce. Deux personnes sont dans un lit et une autre est étendue sur des coussins au sol. Elles ne bougent pas, mais je les entends respirer. Elles sont maigres et pâles. Leurs visages sont creux et les orbites de leurs yeux laissent deviner les os de leurs crânes. À peine ai-je fait un pas de plus qu'une voix s'élève dans la chambre voisine. Elle est si faible et chevrotante que j'ai du mal à l'entendre.

Jannick, c'est toi ? Jannick ?

Je ne réponds rien. Je redescends les escaliers sans faire de bruit et me précipite dehors en abandonnant le sac de nourriture sur le balcon. Ils en ont plus besoin que nous.

Je me retrouve de nouveau sur mes raquettes dans le village désert. Le vent s'est levé. Mes traces s'estompent déjà sous la neige qu'il charrie. Mais elles restent encore visibles. Matthias pourrait me suivre pas à pas s'il le voulait. Je rajuste mon écharpe et reprends mon chemin vers la sortie du village. La neige est drue et les cristaux fendent l'air en ligne droite comme s'ils avaient été taillés dans du fer-blanc. Je boite sérieusement. J'ai de la difficulté à lever mon pied gauche et ma raquette traîne dans la neige. Je comprends pourquoi ni mes oncles, ni Joseph, ni Jude ne m'ont amené. Je ne suis pas assez fort. Pas assez agile. Je serais mort à la première embûche sans qu'ils puissent faire quoi que ce soit.

Bientôt, il ne reste dans le ciel qu'une lueur grise et des tourbillons de neige. Je lève les yeux afin de me repérer dans l'étendue du paysage. Autour de moi tout est noir. Autour de moi tout est blanc. Sur le côté, je finis par apercevoir la ligne sombre de la forêt. C'est le seul indice qui me rappelle que je ne suis pas en train d'avancer en plein désert.

J'amorce la montée vers la maison. La pente est plus abrupte que je le pensais. Je souffle. Ma jambe est tétanisée par l'effort.

Ça va aller, ça va aller.

Je marche en m'agrippant à mes bâtons. J'avance comme un chasse-neige dans les routes de montagne, en regardant devant moi afin de ne pas attiser l'appétit des précipices. Je sens la sueur se frayer un chemin sur ma peau et alourdir mes vêtements. Je sais qu'à partir de maintenant je ne dois plus m'arrêter. La chaleur de mon corps s'évaporerait en un instant et je n'arriverais plus à combattre le froid.

Je dois être à mi-chemin. Les coups de vent font claquer mes vêtements. Je tente d'apercevoir la silhouette de la maison dans le haut de la colline. Mais il fait trop noir maintenant et les flocons de neige me crèvent les yeux.

Je continue mon chemin en me concentrant sur l'air froid qui s'engouffre dans mes poumons. À chaque pas, j'ai l'impression que ma blessure pourrait se rouvrir. Puis, entre deux enjambées, alors que je repense au confort immobile de mes attelles, ma jambe gauche flanche et je m'écroule.

Deux cent cinquante-deux

Mon visage est plaqué au sol. Lorsque je m'appuie sur mes bras, mes mains s'enfoncent dans la neige. Le vent tournoie au-dessus de moi en faisant de grands gestes et les rafales me fouettent le visage. Je regarde vers le haut de la colline. Il neige de plus en plus. La maison devrait être là, quelque part, dans la gueule de l'hiver.

Je parviens à me relever, mais je dois rattacher une de mes raquettes. Le froid me mord les doigts et essaie d'avaler mes mains. La neige colle à mes vêtements, à ma barbe, à mes cils. Devant moi, la montée disparaît dans la nuit.

Je prends de grandes inspirations, concentre mon énergie et mets un pied devant l'autre.

Mais ma jambe cède de nouveau.

Deux cent cinquante-trois

Je ferme les yeux un instant. Quand j'arriverai à la maison, je me déshabillerai et m'enroulerai dans une grande couverture en laine. Un feu brillera dans l'âtre du foyer. Matthias aura préparé de la soupe. Et peut-être même du pain noir. Je mangerai tout ce qu'il mettra devant moi, puis je m'endormirai, protégé par la lumière et la chaleur des flammes.

Quand j'écarte les paupières, je suis toujours étendu par terre. Et il neige à me rendre malade. Je pivote, je me démène et tente de me redresser. Mais je m'embourbe davantage. Et le froid me retient. Mes gestes pèsent une tonne et je n'ai plus de force. Ma jambe ne me fait pas souffrir. Je ne la sens plus. J'aurais dû aller me réfugier avec Jonas, à l'étable. J'aurais été confortable sur la paille. J'aurais été au chaud.

De la glace forme des grelots sur mon manteau, mon bonnet, mes gants. Je ne dois pas m'arrêter, je dois me relever. Je suis presque arrivé. Je me remue et, en prenant appui sur mes coudes, je rampe, me tortille et me traîne sur la neige. J'avance un peu, mais j'ai l'impression de sombrer. D'être emporté par un ressac souterrain. Glacial.

Mes mouvements sont de plus en plus lents. Et mes mains, complètement engourdies. Je devrais peut-être faire comme Matthias. Et prier.

La tempête de neige hurle. On dirait qu'elle s'impatiente à l'idée de me recouvrir, de m'étreindre, de se refermer sur moi. Qu'elle salive avant de me dévorer.

Je me recroqueville pour conserver ma chaleur. Je suis comme tout le monde. Je suis incapable d'admettre la possibilité de ma propre mort.

Je tente de rester calme et ma respiration s'accélère. Je ne peux pas rester là. Je dois repartir.

La neige est un lit de cristaux tranchants.

Il faut que je me relève, mais le froid me retient.

J'ai peur. Je refuse de finir comme ça, replié sur moi-même, le visage au sol.

Je rassemble mon courage et me retourne sur le dos, les bras en croix, les paumes vers le ciel.

Autour de moi, les ténèbres rôdent.

La nuit a faim. Et les flocons sont carnivores.

6

Icare

Là-haut, tout sera plus clair, tout sera plus beau et enfin je pourrai m'abandonner à la lumière. Enfin, je serai délivré de la sagesse, de la mesure et du devoir. Pendant ce temps, toi, mon fils, tu battras des ailes. Et plus tard, bien plus tard, tu jetteras un coup d'œil derrière toi. Ton cœur se serrera sûrement dans ta poitrine. Tu auras beau regarder partout, tu ne me trouveras pas.

Deux cent soixante-treize

Je me réveille subitement comme si on m'avait agrippé par le collet pour me sauver de la noyade. Je suis étendu près du foyer. Je sens le poids de mes jambes à l'autre bout de mon corps et je n'ose pas les remuer.

De l'autre côté de la fenêtre, la journée est éclatante. Le soleil fait fondre la neige sur le toit de la maison et des filets d'eau ruissellent un peu partout, le long de la corniche. Il y a une odeur de farine grillée dans l'air. Je tourne la tête sur le côté, Matthias est à genoux devant le feu. Sur les braises, il y a une marmite de soupe et une assiette d'aluminium avec des galettes de pain noir.

Je m'assois et touche mon visage. Les engelures ont formé une pellicule de peau morte qui ressemble à une mue de serpent.

Matthias se retourne vers moi. Je relève le menton pour avaler ma salive. Nous nous regardons pendant de longues secondes. Puis, il secoue la tête en soupirant comme s'il désapprouvait mon entêtement. Ou comme s'il refusait de croire à ma résilience. Je hausse les sourcils. Il me donne un bol de soupe et une galette de pain. Ça faisait longtemps. Je mange avec appétit. Après le repas, Matthias prépare du café instantané.

Au village, dit-il, j'ai trouvé un sac de nourriture sur un balcon. J'imagine qu'on l'a laissé là pour nous. En tout cas, c'est ce que j'ai pensé quand j'ai vu qu'il y avait un peu de tout à l'intérieur. Les gens ne sont peut-être pas aussi pingres qu'on l'imagine.

À côté du foyer, il y a un pied-de-biche et une pile de courtes planches.

J'ai commencé à défaire le plancher de bois des chambres à l'étage, précise-t-il, et ça brûle bien, regarde.

Matthias jette quelques morceaux dans le feu. Le vernis fond en faisant quelques bulles, puis s'évapore en colorant les flammes. Le bois est dense. Il brûle bien et produit beaucoup de chaleur.

On va s'en sortir, annonce Matthias en brandissant le livre qui était sur sa table de chevet. La panne, ton accident, ce village, tout ça, ce ne sont que des détours, des histoires incomplètes, des rencontres fortuites. Des nuits d'hiver et des voyageurs.

J'observe les morceaux de bois qui se consument. Les clous, toujours accrochés aux planches, finissent par rougir, tomber et disparaître sous le tapis de cendre chaude où se prélassent les braises.

Je n'ai rien de cassé. Mes jambes sont enflées, mais ça va aller. Je pourrai sûrement me remettre à marcher, demain, bientôt. Par contre, je ne pourrai peut-être jamais plus me fier à elles.

Matthias me fixe en inclinant la tête.

Je t'avais bien dit que tu n'y arriverais pas.

Deux cent cinquante-deux

Il fait beau depuis une semaine, peut-être plus. Vers la mi-journée, on sent que la température s'élève tranquillement au-dessus du point de congélation. Mais, quand le soleil décline, le paysage replonge sous zéro comme si les illusions du jour n'avaient aucune incidence sur le monde de la nuit.

Peu à peu, la peau de mon visage se régénère. Je suis allé voir mon reflet dans la glace de la salle de bain, on dirait simplement que j'ai pris un coup de soleil.

Hier, nous avons compté nos réserves. Ça fait déjà un moment que nous rationnons ce que nous avons en sautant un repas de temps en temps. Matthias est parti au village ce matin. J'en ai profité pour faire les exercices qu'il m'a appris plus tôt cet hiver. Et je me suis surtout concentré sur ma jambe. Pour qu'elle ne m'abandonne plus à mon sort, comme ça, au milieu de nulle part.

En début d'après-midi, je mets le nez dehors pour la première fois depuis que Matthias m'a trouvé dans la tempête. Je m'arrête dans l'embrasure de la porte et je regarde la lumière se lover dans les bras noirs des arbres. Avec cette chaleur, on dirait que la neige s'enfonce de plus en plus dans le paysage. Je reste là un bon moment, entre les caresses chaudes du jour et les mains glacées des courants d'air. Je pense à mes oncles qui doivent avoir sorti les chaises sur le perron du camp de chasse pour profiter du soleil et écouter les promesses du printemps. Puis, je pense à ma carte topographique sous les décombres de la véranda. À mon lance-pierre et à ma longue-vue.

La vue de Matthias qui gravit la côte me sort de mes rêveries.

J'ai fouillé plusieurs maisons, dit-il une fois qu'il m'a rejoint, mais je n'ai pas trouvé grand-chose, à part des dattes séchées. On n'est pas les seuls à tout passer au peigne fin. Et cette fois, personne n'a laissé de sac de vivres à notre intention. Je vais y retourner demain, il reste tout de même des endroits à vérifier.

Nous mangeons quelques dattes. Elles sont raides et sèches.

Avec ça, commente-t-il, les hommes du désert pouvaient survivre pendant des semaines.

Je le dévisage un instant.

Et combien de temps dans les déserts de glace ?

Mange, on verra bien.

En suçant longuement les noyaux, on observe le soleil inonder le paysage. Je regarde les montagnes au loin qui se découpent en une multitude de plans superposés.

Soudain, une idée me vient.

Il y a un lac un peu plus haut dans les terres, à quelques kilomètres d'ici.

Et alors ? rétorque Matthias.

On pourrait aller pêcher.

Mais c'est l'hiver, se rebute-t-il aussitôt.

Justement. On a tout ce qu'il faut dans la cave. Une pelle, une tronçonneuse, des lignes à pêche.

Matthias me toise.

C'est loin ?

À quelques kilomètres, en direction opposée à celle du village.

Tu n'y arriveras jamais, me lance-t-il sévèrement.

Je vais mieux, tu le sais bien. Je boite encore, mais je vais mieux. On n'a qu'à partir tôt pour revenir avant la tombée du jour.

Deux cent trente-neuf

Nous avançons sur la neige durcie par la nuit et le froid. Nous progressons lentement, mais d'un pas régulier. Matthias tire une luge avec le matériel. Il souffle comme un vieux cheval, mais il ne flanche pas. Moi, je ménage mes efforts en m'appuyant solidement sur mes bâtons.

Quand nous arrivons enfin devant le lac, le soleil se hisse tout juste au-dessus de la forêt. Sans attendre, nous nous avançons au milieu de l'étendue glacée, puis nous dégageons la neige sur quelques mètres. Sous nos pieds, la glace est lisse et sombre. Je démarre la tronçonneuse et y trace un grand rectangle. Mais la glace est épaisse. Ça prend du temps avant que l'eau gicle et que nous puissions enfoncer le bloc sous la surface.

Je mets des leurres dorés au bout de nos cannes à pêche. Ce n'est pas l'idéal, mais c'est tout ce que j'ai trouvé. Dès que nous aurons une première prise, nous pourrons nous en servir pour appâter. Les poissons n'ont pas de tabous.

Nous nous assoyons sur la luge. Le soleil nous caresse le dos, le derrière de la tête. Nos lignes disparaissent dans les abysses. De temps à autre, on entend des craquements sourds. Ce sont des fissures qui nous passent entre les jambes et qui courent à toute allure sur le lac gelé.

La journée avance rapidement, le soleil déplace nos ombres et les allonge. Un harfang des neiges passe au-dessus de nous sans un bruit. Dans ses serres, il tient jalousement la dépouille d'un lièvre qu'il s'apprête à manger.

Matthias se penche et plonge les yeux dans le trou.

Ça ne mord pas, soupire-t-il. On aurait peut-être dû poser des collets à lièvre. Tu sais comment t'y prendre ?

Mes oncles trappaient quand j'étais jeune, mais je n'ai jamais essayé.

En disant cela j'aperçois une maison dissimulée entre les arbres, sur le bord du lac. Pendant un moment, je m'étonne de ne pas l'avoir remarquée plus tôt. D'ici je ne peux pas voir si elle est habitée et s'il y a des signes de vie dans les alentours. Une fois de plus, j'aurais besoin de ma longue-vue. Chose certaine, il n'y a pas de feu dans la cheminée.

Tu as vu ? dis-je à Matthias en montrant la maison.

Mais Matthias ne m'écoute pas. Il ouvre une bouteille de vin. Surpris, je le regarde tirer lentement sur le bouchon.

C'est le vin que Joseph nous a donné ?

Oui, mon cher.

Nous buvons en fixant nos lignes à pêche, réconfortés par la chaleur du soleil. Et du vin. À mesure que nous nous échangeons la bouteille, l'air se réchauffe. Il n'y a pas un brin de vent. Les montagnes bombent le torse et la neige est resplendissante.

Dis-moi, me demande Matthias tout à coup, tu crois que j'en ai assez avec huit bidons d'essence ?

Je jette un œil à la maison au bord du lac. Rien n'a bougé. Par contre, s'il y a des gens à l'intérieur, c'est certain qu'ils nous observent. Peut-être même qu'ils rient parce qu'on n'a pas encore pris de poisson.

Hein ? Qu'est-ce que tu en penses ? insiste Matthias.

Ça dépend.

Il penche la tête et attend la suite.

Ça dépend du moteur, ça dépend de la route, ça dépend de plein de choses.

Mais c'est possible ?

Je regarde brièvement le soleil qui amorce déjà sa descente vers l'horizon.

Oui, peut-être, avec un peu de chance.

Matthias se lève alors, en criant.

J'ai quelque chose, ça mord !

Il rembobine sa ligne avec la fébrilité d'un enfant et sort une belle truite des eaux sombres du lac. D'une main, il tient fièrement sa prise dans les airs. De l'autre, il saisit la bouteille de vin. Il reste un instant sans bouger comme si j'allais prendre une photo et se rassoit en silence en observant la vie qui quitte la chair agitée du poisson.

Donne, lui dis-je.

Je décroche la truite et la découpe en morceaux pour que nous puissions mettre des appâts sur nos hameçons. Dès que nous remettons nos lignes à l'eau, Matthias remonte un autre poisson à la surface. Deux minutes plus tard, j'en prends un à mon tour.

C'est parti.

Et il nous reste encore pas mal de vin.

Deux cent quatre

Pendant trois jours, nous avons mangé tout le poisson que nous avons pu. Aujourd'hui, nous faisons fumer le reste. Un nuage flotte dans le salon. Nos yeux piquent. Nos vêtements empestent.

Les filets sont disposés sur une grille au-dessus du foyer et on ravive le feu à petite dose, juste avant qu'il s'éteigne. Comme ça la fumée reste dense et épaisse. C'est facile, mais ça prend un temps fou. Il ne faut pas que ça cuise, il faut que ça sèche. Matthias m'a bien averti.

S'il reste de l'eau dans la chair, ça va pourrir.

Et, pendant de longues heures, étourdis par la fumée, nous sommes hypnotisés par le rougeoiement des tisons et la perspective alléchante de tous ces repas à venir.

Cent cinquante-neuf

Depuis quelque temps, nous n'avons plus vraiment besoin de veiller le feu à tour de rôle. Le froid est toujours insistant, mais, durant le jour, la chaleur du soleil nous aide à chauffer la maison. De temps à autre, des blocs de glace se détachent du toit, glissent et s'écrasent au sol. Chaque fois, un puissant grondement traverse les murs et nous sursautons comme si une avalanche se jetait sur nous. La glace qui tombe du toit s'accumule devant la fenêtre, au pas de la porte, partout autour de la maison. Elle nous ceint, elle nous emmure.

Ce matin, en ouvrant les yeux, j'entends un bruit inhabituel. Pendant un instant, je crois qu'il s'agit d'une masse de neige glacée qui chute, puis je me dis que quelqu'un est entré clandestinement dans la maison. Mais le son provient plutôt de la cheminée. Prudemment, je m'approche du foyer et je penche la tête dans sa gueule noire. Tout à coup, quelque chose surgit de l'obscurité et heurte mon visage. En tentant de me protéger, je tombe à la renverse. Matthias se réveille en sursaut et m'aperçoit au milieu d'un nuage de suie et de cendre.

Au-dessus de nous, un oiseau se cogne fré-nétiquement au plafond, sur les fenêtres. On tente de le capturer, mais il est rapide et apeuré. En jetant son manteau sur lui comme un filet, Matthias finit par l'immobiliser. Je le prends fer-mement entre mes mains. Il est beau. Son cœur bat à tout rompre. En même temps, il est très calme. Comme prêt à mourir.

Une fois dehors, je desserre doucement mon emprise. L'oiseau reste sur place une fraction de seconde. Puis il s'envole et disparaît.

Nous restons sur le perron, comme si nous attendions quelque chose. Devant nous, le jour se lève et l'échelle à neige est encore plus déga-gée que la veille. Nous finissons par rentrer, à cause du froid matinal.

Je prépare le café en regardant autour de moi. Récemment, nous avons démonté le plancher du salon en morceaux, nous avons fait la lessive, reprisé nos vêtements. Et nous nous sommes gavés de poisson fumé. Chaque jour, à chaque repas.

Matthias va à la fenêtre et observe pensive-ment le décor.

On aurait pu varier notre menu et manger l'oiseau que nous avons capturé, déclare-t-il.

C'est vrai, conviens-je.

Un peu plus tard, Matthias sort d'un pas décidé pour aller chercher de la nourriture au village. Dès qu'il ferme la porte, un bloc de neige se détache du toit. Je l'entends prendre de la vitesse et s'écraser au sol dans un fracas sourd et pesant. Juste derrière Matthias qui continue son chemin comme si de rien n'était.

Cent cinquante-trois

Matthias revient du village en fin d'après-midi. Je le vois arriver de loin. Il marche la tête basse, en se traînant péniblement. À chaque pas, ses raquettes s'enfoncent dans la neige mouillée. Quand il entre dans la maison, il s'affale sur le divan sans ôter ses bottes.

Ses vêtements sont maculés de sang.

J'ai trouvé à manger, explique-t-il, mais ça ne s'est pas passé comme je le pensais.

Je ne fais rien. Je ne dis rien. Et je n'arrive pas à détacher les yeux du sang sur son manteau, sur son pantalon.

Fais chauffer de l'eau, veux-tu ? me demande-t-il en levant imperceptiblement la tête. Il va falloir laver ça.

J'attise le feu et remplis deux marmites de neige. Matthias laisse tomber ses habits par terre et s'enroule dans une couverture. Sans poser de question, je ramasse ses vêtements pour les mettre dans la bassine à lessive. Un revolver glisse par terre. Aussitôt, Matthias se déplie, le ramasse et le dissimule sous les coussins du divan, à l'abri de mon regard.

J'avais repéré une maison qui semblait ne pas avoir eu de visiteurs depuis longtemps. Juste derrière l'église. Peut-être y restait-il des trouvailles à faire. Des condiments à récupérer. Les gens finissent toujours par abandonner des choses derrière eux. Je tentais de forcer la porte lorsque Jonas est arrivé en panique derrière moi. Au début, je pensais qu'il voulait du pemmican, mais il m'a dit qu'il avait besoin d'aide, qu'il avait besoin d'aide car on le menaçait. En montrant la demeure dans laquelle je m'apprêtais à pénétrer, je lui ai dit qu'il valait mieux qu'il se cache, mais il a insisté. Il fallait que j'aille avec lui. Alors je l'ai suivi jusqu'à l'étable. Là-bas, il y avait cinq personnes postées à la porte. Quatre types et une dame.

Ils veulent tuer, ils veulent tuer une de mes vaches, m'a expliqué Jonas à bout de nerfs. Ils veulent tuer une de mes vaches. Il n'en reste que trois, que trois.

Je me suis avancé vers le petit groupe et nous avons discuté. La situation était très simple. Ils étaient affamés. Et il y avait encore trois vaches dans l'étable.

Jonas était désemparé, mais il savait qu'il ne pouvait rien faire. Je lui ai demandé pourquoi il était venu me chercher.

Il y a eu un silence.

Il paraît que tu possèdes une arme ? a finalement repris l'un des types.

J'ai nié.

Pourtant, ce n'est pas ce que nous a dit Jonas, a-t-il répliqué. Écoutez bien, plus personne ne possède d'arme ici. Jude et les autres ont tout emmené. On a cherché partout.

J'ai fait quelques pas à reculons.

On veut juste que tu abattes une vache, m'a imploré la dame. Ensuite, on partagera la viande.

C'est vrai, a ajouté Jonas. C'est pour ça que je suis allé te chercher. L'autre fois, l'autre fois quand tu fouillais dans tes choses pour me donner une brique de pemmican, j'ai vu ton revolver, j'ai vu ton revolver sous ta ceinture.

Pourquoi vous ne prenez pas un couteau ? ai-je demandé.

Ils ont tous haussé les épaules.

Ce sont mes vaches, a clamé Jonas, ce sont mes vaches. Je ne veux pas qu'elles souffrent. Je ne veux pas qu'elles paniquent. La dernière fois, la dernière fois, ça s'est mal passé. C'est moi, c'est moi qui leur ai dit d'attendre quand je t'ai vu passer au loin.

J'ai hoché la tête.

Merci, a murmuré Jonas avec soulagement, merci.

Puis, tout le reste s'est déroulé très vite.

On est entrés dans l'étable. On m'a indiqué la vache. Elle était attachée à un poteau. J'ai sorti mon revolver. La vache était belle et tranquille. Je me suis approché tout près d'elle, j'ai mis le canon du revolver sur le bord de son oreille et j'ai tiré. Je ne pensais pas que le coup partirait si vite. Et que le bruit de l'explosion serait aussi puissant. La vache est restée debout un moment, puis elle s'est laissée choir lentement au sol. Sans savoir pourquoi, j'ai voulu la retenir dans sa chute. Mais elle était trop lourde. J'ai failli me briser le dos. Quelques instants plus tard, les autres se préparaient déjà à débiter l'animal. Je les ai abandonnés à leur besogne et, en attendant qu'ils me donnent ma part, je suis allé rejoindre Jonas, dehors.

Quand il m'a vu, ses yeux sont devenus très grands et il a détourné la tête.

Qu'y a-t-il ?

Le sang, le sang sur tes vêtements, a-t-il répondu.

En regardant l'état de mon manteau, j'ai été pris de vertige.

Matthias se tait. Je le regarde. Ses épaules tombent vers l'avant, son visage est long et ses traits sont rongés par des cernes. Soudain, Matthias ne ressemble à rien. À rien d'autre qu'un corps fatigué par les ans et les circonstances.

Durant les grandes guerres, reprend Matthias, quand l'armée était en déroute, les soldats mangeaient les chevaux. Ici, c'est la fin de l'hiver et nous mangeons nos vaches.

Je sors la pièce de viande qu'il a rapportée. C'est un beau morceau. J'en coupe quelques tranches que je fais revenir rapidement dans une poêle. Quand c'est prêt, j'invite Matthias à se servir.

Non merci, décline-t-il, je n'ai pas faim.

Cent onze

Le plafond est bas. Les nuages sont cousus à la neige. Et il pleut depuis une dizaine de jours. Parfois plus fort, parfois moins. Comme si le ciel voulait maintenant accélérer les choses et faire fondre le décor.

Nous démolissons les divisions des chambres et des garde-robes, à l'étage, pour chauffer le foyer et chasser l'humidité. Quand nous arrachons le placoplatre, la poussière envahit les pièces et des galaxies de particules flottent dans la lumière grise du jour. Avec une masse, nous défaisons les montants, les linteaux et les lisses des cloisons. À chaque coup, la maison résonne comme une grande pièce vide. Ensuite, nous scions tout en morceaux. C'est beaucoup de travail pour si peu de bois. Mais ça nous occupe.

Souvent, avant de démonter certaines sections, nous devons couper les fils électriques qui courent d'un mur à l'autre. Je pense alors aux plinthes chauffantes, aux interrupteurs, aux lampes suspendues au plafond. Je pense aussi aux constellations de points verts et rouges appartenant aux appareils électroniques. Mais tout cela me semble à des années-lumière.

Durant la journée, nous faisons de longues pauses où nous allons à la fenêtre pour observer la lente transformation du paysage.

L'hiver tire à sa fin, a déclaré rêveusement Matthias à plusieurs reprises. Les routes seront bientôt dégagées.

Chaque fois qu'il évoque son départ, je me demande dans quel état peut bien être la ville en ce moment. Peut-être que l'électricité a été rétablie et que la vie a repris normalement. Ou peut-être que tout le monde a fui en abandonnant les vieux, les malades et les plus faibles. Comme ici.

Quatre-vingt-neuf

Aujourd'hui, la température a replongé sous zéro. La neige s'est durcie avec le froid et on peut marcher dessus facilement. Nous en profitons pour aller à la recherche de vivres.

Pour augmenter nos chances, nous partons chacun de notre côté. Matthias va au village, bien sûr, et moi je monte vers la maison au bord du lac.

En approchant, j'observe le flanc des montagnes. Partout, on sent que les arbres veulent se débarrasser de la neige. Autour de la maison, il n'y a pas de traces. L'endroit semble désert. Aucun coup de pelle n'a été donné devant l'entrée. Une vieille remise attire mon attention sans que je sache trop pourquoi. Comme si les espaces de travail et d'entreposage m'avaient toujours été plus familiers que l'ordre et le confort des demeures.

Je veux y entrer, mais les portes sont prises dans la neige et la glace. Je brise alors une petite fenêtre sur le côté. Je prends soin de faire tomber tous les tessons et je me glisse à l'intérieur.

Dans la remise, ça sent la poussière, la vieille huile, le renfermé. Mes pupilles se dilatent et, peu à peu, l'obscurité révèle ses secrets. Des chutes de bois, des outils, des pots à tabac remplis de vis, de clous, d'écrous. Un grand établi longe le mur. Au fond, au pied d'un amas de pelles et de râteaux, je remarque deux bidons d'essence. Il y a même un canot, à l'envers, tout en haut.

Au centre, une masse inerte est recouverte d'une bâche. Je la retourne. C'est un quad. Un vieux modèle. Je m'assois sur le siège et mets les mains sur les poignées. J'en profite pour reposer ma jambe et imagine que je roule à toute allure sur des chemins forestiers.

La clé est sur le contact. Je la tourne. Rien. La batterie est vide. Je tire alors sur la corde de démarrage. Mais rien non plus. Je me penche sous le quad pour inspecter le câblage. Tout me semble en bon état. Je défais la bougie d'allumage et le carburateur, les nettoie et les remets en place.

Quand je me relève, le quad semble vouloir rugir. Je tire de nouveau sur la corde de démarrage. L'engin démarre sans aucune hésitation. J'appuie sur l'accélérateur pour rincer le moteur. Une odeur de combustion se répand dans la remise. Lorsque je coupe le contact et replace la bâche, je pense à Matthias avec sa voiture et me dis que je n'ai plus aucune raison de l'envier.

En partant, je bouche la fenêtre avec un morceau de contreplaqué. Dehors il fait encore clair, mais la journée est déjà bien avancée. Si je veux rentrer avant la nuit, je n'ai pas le temps de jeter un coup d'œil dans la maison. Pas cette fois.

Sur le chemin du retour, je me retourne plusieurs fois, inquiet. La remise est un trésor et, même si la neige est dure, mes traces sont visibles. N'importe qui arriverait à les suivre. On ne peut rien cacher à la neige.

Cinquante-trois

En quelques jours, la neige a fondu de moitié. Ou presque. Assez pour qu'on devine les veines de ruissellement qui courent sous ce qu'il reste de neige et de glace. Lorsqu'on sort sur le perron et qu'on écoute, on peut même entendre la rumeur du ruisseau. Par endroits, on voit poindre le sol à travers la neige. Des îlots d'herbes jaunies, écrasées par l'hiver. Quand on regarde vers le village, certains tronçons de route commencent aussi à apparaître, là où le soleil tape dur.

C'est le soir. Assis l'un en face de l'autre, nous mangeons une conserve de cassoulet que Matthias a dégotée lors de sa dernière expédition au village. Nous y plongeons chacun notre cuillère en alternant scrupuleusement. Quand nous avons terminé, Matthias lance le contenant métallique dans le feu. L'étiquette brûle aussitôt, puis le métal rougit avant de devenir complètement noir.

Je n'ai pas parlé de ma découverte à Matthias. De son côté, il ne me dit rien de ses préparatifs, mais il évoque souvent le livre qu'il est en train de lire, où les habitants d'un village fondé en pleine jungle sont prisonniers de leur solitude durant cent ans.

Matthias souffle la chandelle et nous nous installons pour dormir. Nous regardons le plafond éclairé faiblement par la lueur chancelante des braises. Après un moment, Matthias s'adresse à moi en disant qu'il aurait bien aimé jouer une partie d'échecs. Je le mets en garde en précisant que je l'aurais battu. Nous rions. J'ajoute que j'aurais plutôt bu une autre bouteille de vin. Comme sur le lac.

D'une voix presque inaudible, il admet que ça a été un des plus beaux moments de l'hiver.

Dans le foyer, la cendre finit par avoir raison des braises. L'obscurité est totale et le silence s'installe confortablement.

Quarante-huit

J'ouvre les yeux en entendant la porte se refermer. Dehors il fait clair, mais le soleil n'est pas encore levé. Le feu a été rallumé et le café est prêt. Je vais à la fenêtre en gardant une couverture sur les épaules. Matthias descend la colline.

Quelque chose cloche. Pourquoi va-t-il au village à cette heure ? Un sentiment de confusion s'empare de moi. Je remarque alors qu'il y a une note sur la table de chevet. Sans même prendre le temps de la lire, je m'habille et me précipite dehors. Quand il m'entend crier derrière lui, Matthias s'arrête et se retourne. J'arrive devant lui en boitant, à bout de souffle.

Qu'y a-t-il ?

Où vas-tu ?

Au village, pourquoi ?

Il y a encore trop de neige, interviens-je.

Matthias soupire et me dévisage. Comme si rien n'arrivait comme il l'avait prévu.

Regarde-moi, regarde autour, répond Matthias furieusement, je suis vieux, j'ai patienté tout l'hiver et voilà que le printemps est là. Je ne veux plus attendre. J'ai déjà trop attendu. Les routes sont praticables, la neige fond à vue d'œil.

Regarde, l'asphalte est visible dans les rues du village.

Il y a encore trop de neige, je te le dis, ça ne passera pas.

J'ai une voiture, de l'essence, des pneus avec des chaînes et de la nourriture. J'ai même un revolver.

Ce n'est pas ça. Attends au moins quelques jours. Que ça fonde un peu plus.

C'est moi qui suis en train de fondre, je n'en peux plus. Je t'ai soigné, tu vas bien maintenant, alors laisse-moi partir. Je dois rejoindre ma femme, peux-tu le comprendre ? Je dois la retrouver.

Je m'approche de lui pour tenter de le raisonner. Matthias fait un pas vers l'arrière.

Attends, laisse-moi au moins t'accompagner jusqu'au village.

Non, gueule-t-il, maintenant tu vas faire demi-tour et me laisser tranquille.

J'avance encore vers lui.

Il y a trop de neige, renchéris-je, la route doit encore être bloquée dans les montagnes, tu n'arriveras même pas à atteindre les villages de la côte.

Au moment exact où je m'apprête à mettre ma main sur son épaule, il me repousse et sort son revolver.

Je me fige. Sa main tremble.

Au-dessus de nous, un voilier d'oies traverse le ciel en criant.

Tu vas faire demi-tour, répète Matthias. Et tu vas me laisser partir.

Il s'éloigne en reculant prudemment, l'arme toujours pointée dans ma direction. Le soleil se lève. Les oies sont passées. Je les entends encore, mais je ne les vois plus. Matthias se retourne et disparaît en suivant la pente qui mène au village. Je sais bien qu'il n'aurait pas tiré, mais je n'ai pas osé insister davantage.

Quarante-six

Quand je regagne la maison, je tourne en rond pendant un moment. Je me laisse tomber sur le divan et je ferme les yeux, mais le sommeil ne vient pas. Il y a une odeur de poisson avarié dans la pièce. Avec l'humidité, les derniers bouts de poisson fumé ont commencé à pourrir. Je m'empresse de les jeter dehors. Une fois à l'extérieur, je fais le tour de la maison en cherchant quelque chose à faire. Je me poste devant le cadavre décharné de la véranda, qui se révèle peu à peu avec la fonte des neiges. À plusieurs reprises, j'ai l'impression d'entendre un moteur de voiture au loin, en bas.

Je me fraie un chemin à travers les débris et la neige glacée. Je n'arrive pas à me rendre à la trappe du garde-manger, toutefois, en soulevant des bouts de tôle et des planches, je trouve quelques conserves bosselées, un sac de pâtes déchiré et quelques sachets humides de soupe en poudre. Tout est dans un état lamentable, je ne sais pas si je vais pouvoir en tirer quelque chose.

En prenant une planche en guise de levier, je parviens à soulever un pan de toit écrasé. Prudemment, je réussis à me glisser à plat ventre par la brèche que je viens de créer. On dirait une grotte, un souterrain épargné par la neige. Je m'avance et, en tâtonnant, je mets la main sur mon lance-pierre et, un peu plus loin, sur ma longue-vue. En me relevant, je glisse sur un papier humide. C'est la carte topographique que Joseph m'a offerte. Je la saisis, enjambe de nouveau les décombres et retourne dans le salon.

La carte sèche près du feu. Elle a été endommagée par l'eau, mais les cernes n'ont rien effacé. Maintes fois, avec le bout de mon index, je refais le chemin qui mène au camp de chasse de mes oncles.

Le feu diminue. Quand je remets quelques planches, les flammes éclairent le salon de nouveau et je regarde longuement mes trouvailles étalées devant moi comme des objets de culte, le tas de bois, les conserves. Je finis par prendre la note laissée par Matthias. Trois lignes écrites à l'encre noire.

Nous avons traversé l'hiver. Je ne l'oublierai jamais. Maintenant il est temps de partir. La suite ne peut plus attendre, tu le sais. Adieu.

Je mets le bout de papier dans ma poche en me sentant soudain seul. Matthias a bien raison. L'hiver s'achève. Il n'y a plus rien à faire ici.

Trente-neuf

Je ne dors pas de la nuit. Je pense à Matthias en route vers la ville, avec ses réserves et son revolver. Je pense à Joseph et Maria, heureux quelque part, loin du village. À mes oncles et tantes qui observent la rivière en crue en jouant aux cartes. Je pense au quad qui m'attend dans la remise.

Je me lève dès que j'aperçois quelques lueurs par la fenêtre. Je range ma longue-vue, mon lance-pierre, la carte de Joseph et mes maigres réserves dans mes poches de manteau, puis je sors en refermant solidement la porte derrière moi.

La suite ne peut plus attendre. C'est vrai. À mon tour de partir d'ici.

Dehors, le ciel est gris et lisse. On dirait un couvercle déposé sur le paysage. La neige est lourde et collante. À chaque pas, je dois cogner mes raquettes avec mes bâtons de ski pour avancer.

J'arrive à la maison au bord du lac. Il n'y a pas de nouvelles traces. Je suis encore le seul à connaître les secrets de cet endroit. Avec l'une de mes raquettes, je dégage la neige et la glace devant les portes de la remise. Un cadenas est posé sur le loquet, mais il n'est pas verrouillé.

Quand j'ouvre les portes, le quad est là, sous la bâche.

J'examine le fatras d'objets et d'outils de la remise et rassemble tout le nécessaire dans une caisse que je fixe à l'avant du quad. Un sac de couchage, un marteau, une scie à bûches, un couteau rétractable, de la corde, la bâche. Toutes sortes de choses. En farfouillant, je tombe aussi sur un vieux paquet de cigarettes. Il en reste six à l'intérieur. Pour finir, j'attache les bidons d'essence à l'arrière, sur le porte-bagages, et je fais quelques pas vers le lac, une cigarette au bec.

Une épaisse couche de neige mouillée recouvre le lac. Il est gris et uniforme. Comme le ciel. On ne sait même pas où commence le lac et où finit la rive. La glace est sur le point de céder.

Je m'avance encore un peu et j'allume ma cigarette.

Les montagnes s'élèvent autour du lac et se referment les unes sur les autres. En plissant les yeux, j'aperçois un sentier qui monte dans les terres. Un trait blanc sur fond blanc. C'est par là que je dois passer, il me semble. Il reste toujours beaucoup de neige en forêt à la fin de l'hiver. Si jamais je m'enlise, je pourrai toujours me servir du treuil du quad pour me dégager. C'est fait pour passer partout, ces machines-là.

Ma cigarette est très bonne et je la fume jusqu'au filtre. Je jette le mégot vers le lac et je fais demi-tour pour regagner la remise. Mais aussitôt que je me retourne, la neige cède sous mes pieds et je me retrouve dans l'eau jusqu'aux cuisses. Mes bottes et mes vêtements sont trempés en quelques instants. Je tente de me sortir de là, mais je n'ai pas de prise pour m'agripper et la glace se brise dès que je m'appuie dessus. Je parviens finalement à me hisser sur la neige en m'étendant de tout mon long. Je commence à ramper mais la surface s'ouvre de nouveau et je retombe dans l'eau glacée. Quand je finis par regagner la rive, je suis transi. Je me relève avec difficulté. Mes vêtements pèsent une tonne et mes gestes n'ont plus de portée. Je manque de coordination et je dois me concentrer pour mettre un pied devant l'autre. Je m'arrête devant la remise. Je tremble, mes dents claquent et j'ai l'impression que je vais perdre connaissance à chaque inspiration. Il me faut des vêtements. Il me faut des vêtements secs. Là. Maintenant.

Je me précipite vers la maison. Mon cœur bat fort, mais j'ai l'impression qu'il peine à pomper le sang vers mes membres. Je me heurte contre la porte. Elle est fermée à clé. Les fenêtres du rez-de-chaussée semblent avoir été placardées de l'intérieur. Celles de l'étage sont inaccessibles. Le froid me gagne un peu plus chaque seconde. Je n'arrive déjà plus à ouvrir et à fermer les mains.

Je fixe la porte en essayant de prendre une grande inspiration. Coups d'épaule. Coups de hanche. Coups de pied. Le cadre craque, puis la porte finit par céder. Je tombe à plat ventre à l'intérieur et retire mes vêtements aussitôt en me tortillant par terre. Les cicatrices sur mes jambes sont d'un bleu profond. Je monte à l'étage en grelottant, ouvre les tiroirs de la première commode que je vois et enfile tout le linge que je peux.

Les chaussettes, les caleçons longs, les pantalons, le chandail en laine, tout est un peu trop petit pour moi, mais ce n'est pas grave. Et je reste longuement assis sur le coin du lit en me frictionnant les jambes.

Pendant que mes membres dégèlent, je me retourne pour inspecter la chambre dans laquelle je me trouve. Je regarde dans le placard dans l'espoir de trouver une paire de bottes. En ouvrant la porte, je suis saisi d'effroi. Sous les habits suspendus, il y a une ombre recroquevillée. Elle ne bouge pas. Je me penche. C'est une dame. Elle est maigre et âgée. Ses cheveux blancs sont éclatants, sa peau est diaphane, ses yeux grands ouverts. Pris de vertige, je sors de la pièce et descends les marches sans faire trop de bruit, comme si j'avais dérangé le repos d'une personne très fatiguée.

Dans sa cuisine, tout est impeccable. Le plancher est propre, la vaisselle est rangée dans les armoires et une lampe à huile immaculée trône au centre de la table. Des conserves maison sont soigneusement alignées dans le placard avec quelques paniers d'ail, d'oignons et de patates. Il n'y a que le froid et les plantes mortes sur le rebord de la fenêtre qui trahissent l'harmonie de cette pièce.

Je me demande un instant pourquoi je ne suis pas venu ici plus tôt. Matthias et moi aurions eu de quoi manger et la dame aurait peut-être été délivrée de sa solitude.

Dans l'entrée je trouve une veste à carreaux et des bottes de pluie. Ça ira pour l'instant. J'emporte quelques vivres pris au hasard, je ramasse mes vêtements trempés et je sors en tentant de fermer convenablement la porte défoncée. Puis lentement, très lentement, je retourne sur mes pas, déçu d'être forcé à remettre mon départ à plus tard. En marchant, je ne pense plus tant à mes oncles et mes tantes dans leur camp de chasse. Mais plutôt à la détresse de la dame, dans son placard.

Trente-trois

En arrivant à la maison, en fin d'après-midi, je remarque que les oiseaux se goinfrent de poisson pourri. Je m'arrête un instant pour les regarder, puis je vais dans le salon. Moi qui pensais ne plus y remettre les pieds. J'alimente le feu comme je peux, mais il ne reste plus de bois et je n'ai pas la force de m'attaquer aux murs de la cuisine. Ni d'aller chercher des branches humides, dehors.

Dans le coin du salon, il y a les livres que nous avons entassés pour brûler les bibliothèques. Les livres dans lesquels Matthias trouvait ses histoires. Je me penche et saisis le premier qui me tombe sous la main. Je retourne devant le foyer et, sans attendre, je le jette sur les braises crépitantes. La couverture prend feu presque immédiatement. Les coins se replient et le carton se cintre dans les flammes. Les premières pages se retroussent. Le livre gonfle comme un accordéon. La chaleur est intense, mais rapidement le bouquin n'est plus qu'une masse informe, orange et noir. On dirait une pierre brûlante et friable. Alors j'en brûle un autre et les flammes reprennent vie de plus belle, vrillent dans la cheminée, et une lumière vive rayonne dans la pièce. Je me déshabille complètement pour profiter de la chaleur des livres et mange quelques betteraves dans le vinaigre prises chez la dame. En regardant les pages se consumer, je me demande où peut bien être Matthias, à l'heure qu'il est. Plus loin que moi, ça ne fait aucun doute.

Soudain, j'entends la porte grincer. Quelqu'un vient d'entrer dans la maison. Par réflexe, je noue une couverture autour de ma taille et je saisis le tisonnier. Les pas s'avancent dans le couloir. Je me dissimule le long d'un mur. J'ai l'impression que ça pourrait être le fantôme de la dame qui vient chercher ses betteraves. Une silhouette s'arrête dans l'embrasure de la porte. Je ne bouge pas, les deux mains bien rivées au manche du tisonnier. Probablement que l'intrus est aussi sur ses gardes. Je retiens ma respiration. Puis, Matthias apparaît dans le salon. Quand il m'aperçoit dans le coin, ma tenue le fait légèrement sourciller. Nous nous dévisageons un instant, puis il est secoué par une violente quinte de toux.

J'ai perdu le contrôle de la voiture, explique-t-il, à la fois désorienté et paniqué. Dans la courbe avant la grosse montée, quelques kilomètres après la sortie du village. Je n'allais pas vite, mais j'ai dérapé dans le fossé. La neige, la neige a pris ma voiture. Il n'y avait rien à faire. J'ai dû marcher pour revenir. Tout est fini maintenant, tout est fini.

Je lui tends le pot de betteraves. Il en mange quelques-unes, le regard atone.

J'ai tout laissé là-bas, poursuit-il, la voix trem-blotante, mes affaires, les provisions, l'essence.

Tu es épuisé, lui dis-je en remettant quelques livres dans le feu, dors, tu en as besoin, on verra ce qu'on peut faire demain.

J'ai peur, j'ai peur de rester coincé ici, sanglote-t-il en s'étendant sur le divan.

Trente

Il fait froid dans le salon, ce matin. Matthias dort encore. Ses cheveux blancs sont collés à son front. Sa barbe est sale et ses yeux clos semblent enfoncés dans leurs orbites.

En remuant les cendres pour attiser les braises, je remarque qu'il y a des bouts de papier où on peut encore lire quelques mots, des parcelles de phrases. Comme si le retour de Matthias avait intimidé les flammes.

Je sors prendre l'air. Il neige. Mais ce sont des flocons minuscules, des confettis. En pensant à l'entêtement et aux péripéties de Matthias, j'observe les oiseaux picorer les restants de poisson. Certains vont et viennent, d'autres s'acharnent sur un seul morceau, mais ils sont tous agités, aux aguets. Quand je me lève pour aller chercher mon lance-pierre, ils s'envolent dans un désordre complet. Quand je reviens sur le perron, ça prend quelques minutes, puis ils reviennent un à un.

Incrédule, je me demande ce que ça peut bien faire de vivre jusqu'à l'âge de Matthias. D'avoir partagé une vie entière avec la même femme. De craindre de ne pas la retrouver. Et d'être condamné à mourir seul. Comme la dame dans la maison au bord du lac.

Des roucoulements me sortent de mes réflexions. Je tourne la tête et j'aperçois quelques oiseaux un peu plus dodus, perchés sur le fil électrique. L'un d'entre eux prend son envol, passe près de la maison et se pose sur la neige, à quelques enjambées du perron. Il scrute les alentours avec ses yeux ronds et fixes, puis il avance vers le poisson en balançant la tête. Lentement, je lève mon arme, tends l'élastique et vise. Je décoche un tir. Mon projectile passe au-dessus de lui et s'enfonce dans la neige sans bruit. L'oiseau redresse la tête, mais il ne bouge pas. J'attends un peu et décoche un autre tir. Cette fois, il tombe à la renverse. Quand je vais le ramasser, ses ailes frétillent encore, animées par les nerfs. Je me repositionne et attends qu'un autre volatile de sa taille se pose devant moi, guidé, lui aussi, par son estomac et la lumière du printemps.

Trente

Matthias se réveille alors que je prépare à manger. Il semble aller mieux. Le sommeil lui a redonné de l'aplomb. En buvant un peu d'eau chaude, il prend le seul livre qu'il avait apporté, dans sa poche de manteau.

C'est un livre précieux, explique-t-il, je t'en ai raconté quelques passages, déjà.

Je me dis qu'il a bien fait de le garder avec lui, sinon j'aurais pu le mettre dans le feu avec les autres, pour faire cuire le repas.

Écoute, commence-t-il en le déposant sur ses genoux, écoute bien. Un homme avait deux fils. Un jour, le cadet s'adressa à son père pour lui annoncer qu'il partait. D'accord, fit le père, alors je te donnerai la moitié de mes biens, car l'autre moitié ira à ton frère. Peu de temps après, et ayant tout amassé, ce fils s'en alla dans un pays éloigné et dissipa ses avoirs dans la débauche. Quand il eut tout dépensé, il se vit dépourvu et contraint de nourrir les pourceaux d'un grand propriétaire. Pour se rassasier, il était prêt à se servir dans la nourriture des animaux, mais cela lui était interdit. Désespéré, il finit par s'enfuir. Même s'il ne se considérait plus comme le digne fils de son père, il retourna là où il avait grandi. Quand il approcha de la maison, honteux et désœuvré, son père le vit et se jeta à son cou. Je ne suis plus digne d'être ton fils, dit le jeune homme. Mais le père ordonna qu'on tue un veau gras et qu'on prépare un grand banquet pour le prodigieux retour de son fils. Mangeons et réjouissons-nous, chantait-il, parce que mon fils était mort et le voilà revenu à la vie, il était perdu et le voilà retrouvé. Pendant les festivités, le fils aîné revint des champs. Il interrogea quelques convives et apprit qu'on avait tué un veau gras pour célébrer le retour de son frère. Quand il vit son père, l'aîné se mit en colère. Voici déjà tant d'années que je travaille pour toi sans me plaindre, débita-t-il, et tu ne m'as jamais donné un chevreau pour me réjouir avec mes amis. Et voici que ton fils cadet revient après avoir dilapidé la moitié de tes biens et tu abats un veau gras. Le père regarda son fils. Puis, il s'adressa à lui en parlant très doucement. Mon fils, tu es toujours à mes côtés et tout ce que j'ai est à toi. Mais il fallait bien faire un festin et se réjouir parce que ton frère était mort et le voilà revenu à la vie, il était perdu et le voilà retrouvé.

J'invite Matthias à s'approcher. Le repas est prêt. Il s'assoit près du feu, fixe son assiette un instant et relève la tête.

Qu'est-ce que c'est ?

C'est le festin.

Nous commençons à manger. La chair est coriace. Nous devons mastiquer longuement chaque bouchée.

Matthias prend un morceau et le lève dans les airs pour le mettre en évidence.

C'est un peu dur comme viande, qu'est-ce que c'est ?

De la tourterelle triste.

Ah, fait-il, en se tournant vers la pile de livres que j'ai montée près du foyer.

Et nous finissons nos assiettes sans ajouter un mot.

Vingt-neuf

Après le repas, je somme Matthias de s'habiller et de venir avec moi.

Il ne réagit pas.

J'insiste.

Viens, j'ai besoin de ton aide. Prends tout ce dont tu as besoin, nous ne reviendrons pas ici.

Matthias s'active et nous partons en direction de la maison au bord du lac. Quand nous arrivons devant la remise, je prie Matthias de m'attendre. Il reste là, sans bouger, pendant que je vais chercher deux pelles.

Nous allons ensuite au bord de la forêt et je commence à creuser un trou dans la neige au pied d'un arbre. Au début, Matthias me regarde faire, puis il s'empare d'une pelle à son tour. Quand nous touchons le sol, nous tentons de creuser encore, mais la terre est gelée.

C'est bien, dis-je en faisant signe à Matthias de me suivre.

Nous laissons les pelles derrière et nous allons dans la maison. Quand nous passons dans la cuisine pour nous rendre à l'escalier, Matthias remarque l'ordre qui règne dans la pièce.

Tout est si propre, murmure-t-il, étonné, et tout est là, à sa place.

Nous montons à l'étage et nous rentrons dans la chambre de la dame.

En arrivant devant le placard, Matthias sursaute. Il a l'air d'un fantôme à son tour.

Tu vas prendre les jambes et je vais prendre les bras.

Matthias se penche vers la dame et la regarde en caressant son front du revers de la main.

D'accord, finit-il par dire après lui avoir fermé les yeux, allons-y.

Le froid a étrangement bien conservé la dépouille de la dame. Elle est froide et dure comme de la pierre. Nous n'arrivons pas à délier ses membres. Pour la transporter, nous devons l'enrouler dans un drap. Elle est si rigide et si légère, on dirait qu'elle ne pèse rien. Nous l'amenons jusqu'à l'orée de la forêt sans trop de difficulté et nous la déposons délicatement dans le trou que nous avons creusé.

Ça pourrait être ma femme, lance Matthias, en regardant la silhouette en position fœtale.

Puis, nous empoignons les pelles et nous recouvrons le corps d'une épaisse couche de neige.

Matthias retourne dans la maison et revient avec la lampe à huile qui était sur la table de la cuisine. Il l'allume et l'installe comme un lampion, au pied de l'arbre.

Viens, lui dis-je, suis-moi, ce n'est pas fini.

Attends, me souffle-t-il en fixant la flamme qui brille dans son globe.

Puis, il se signe, dépose un baiser sur le monticule de neige et m'emboîte le pas.

Vingt-huit

Nous sommes devant la remise. Pendant que j'ouvre les portes, Matthias remarque mes traces qui vont vers le lac et qui s'enfoncent dans l'eau.

Tu l'as échappé belle, commente-t-il.

Oui, l'eau est glaciale.

Nous entrons dans le petit bâtiment. Le quad est là, chargé et prêt à partir. Je retire la boîte que j'avais attachée à l'avant, et j'invite Matthias à s'asseoir aux commandes. Il refuse aussitôt en disant qu'il n'est jamais monté sur un véhicule du genre, mais j'insiste et il finit par accepter.

Avec ça, tu vas pouvoir passer partout.

Il me questionne du regard.

Avec ça, tu vas pouvoir quitter le village sans problème. Tu n'auras qu'à récupérer tes affaires dans la voiture.

Une lueur d'espoir apparaît dans ses yeux.

Et tu vas voir, ça ne consomme presque rien ce truc-là. Tu pourras te rendre en ville sans problème avec l'essence que tu as.

Matthias me regarde avec une gratitude déstabilisante.

Merci, merci mille fois.

Tu feras attention en chemin, n'est-ce pas ? Ne conduis pas trop vite, mais ne t'arrête pas trop longtemps au même endroit. Surtout, évite les barrages routiers.

Ça va aller, m'assure-t-il en me montrant le revolver à sa ceinture.

Je lui montre la corde de démarrage. Matthias tire dessus et, après huit ou dix tentatives, l'engin se met à pétarader. En criant par-dessus le son du moteur, je lui explique rapidement comment fonctionnent l'embrayage, le treuil et le frein de secours.

Quelques instants plus tard, il me serre contre lui, m'embrasse sur le front et démarre en laissant de profonds sillons derrière lui. Je le salue en levant la main, mais je crois qu'il ne me voit pas.

Un vent chaud souffle sur la forêt. Le soleil cogne. Le décor ruisselle de partout et la neige ressemble à de gros cristaux de sel parsemés d'aiguilles de pin, de branches et de feuilles mortes.

Avant de disparaître complètement, Matthias se retourne, agite brièvement une main dans les airs et reprend les commandes d'un geste nerveux. Comme s'il chevauchait une bête sauvage.

Je m'assois lourdement dans la neige. Je me sens heureux et inquiet à la fois. Pour Matthias comme pour moi.

7

Le soleil

Ton cœur se serrera sûrement dans ta poitrine. Tu auras beau regarder partout, tu ne me trouveras pas. Tu ne verras que quelques plumes virevolter dans les rayons du soleil. Alors, alors seulement, tu seras délivré à ton tour, tu pourras continuer ton chemin sans te soucier de moi.

Onze

C'est la nouvelle lune. La nuit, les étoiles criblent l'obscurité avec une précision étourdissante. De temps à autre, une aurore boréale verdâtre illumine un pan du ciel.

Parfois aussi, quand le temps se couvre, on entend des coups de tonnerre au loin. Comme si le printemps rugissait. Quand on regarde bien les arbres, on peut deviner que les bourgeons sont remplis de sève et qu'ils s'apprêtent à exploser.

Ma jambe va bien. Je boite toujours, mais elle va bien. En m'appuyant sur mes bâtons, je peux maintenant marcher aussi longtemps que je le souhaite. Maria serait contente de me voir ainsi.

Depuis que Matthias est parti, je dors ici et là, en explorant les maisons abandonnées du village. Je me nourris avec les provisions prises chez la dame et quelques trouvailles inattendues.

Maintenant qu'il ne reste plus que quelques amoncellements de neige glacée et sale, on voit partout les ruines de l'hiver. Des voitures abandonnées, partout dans les rues, dans les cours, en bordure des champs. Des structures affaissées, des lampadaires inclinés et des arbres renversés.

Le village est méconnaissable. Et presque désert. Il n'y a plus que des petits groupes qui se déplacent d'un endroit à l'autre à la recherche d'essence, de vivres. Des meutes de coyotes maigres et méfiants.

Un matin, Jonas vient à ma rencontre.

Il fait beau, lance-t-il en gesticulant, il fait chaud, les ours, les ours vont bientôt sortir de leur tanière. Tu as vu ? Tu as vu le niveau, la couleur de la rivière ? Il y a des arbres longs, longs comme le clocher qui ont été déracinés par le courant. Il y en a même qui frottent sous le pont. À part ça, moi, je ne sais plus quoi, quoi faire avec mes vaches. Je sais que les autres vont vouloir les abattre, les abattre bientôt, je le sais, tout le monde commence à avoir faim, tout le monde a toujours faim maintenant. Alors, alors je les ai détachées pour qu'elles se sauvent, pour qu'elles s'enfuient. Elles sont sorties de l'étable, mais elles ne sont pas allées bien loin. J'ai tenté, j'ai tenté de leur faire peur. Ça n'a pas marché non plus. On dirait qu'elles ne veulent pas partir. En attendant, si tu vois Matthias, dis-lui, dis-lui que je suis prêt pour aller vendre mes bouteilles. J'en ai pas mal, ça va me faire beaucoup, beaucoup de sous.

Jonas examine mon visage, il plonge la main à l'intérieur de son manteau turquoise et il sort une brique de pemmican.

Tiens, me confie-t-il, tu vas voir, c'est un peu dur, mais c'est très bon. Tu vas voir.

Et il s'en va en me disant de me mettre à l'abri car il va pleuvoir.

En effet, la pluie commence peu après sa visite. J'en profite pour revoir mon itinéraire sur la carte. Je calcule que j'en ai pour une quinzaine de jours avec ma jambe. Si tout se passe bien. Une dernière fois, je trie mon matériel, compte mes vivres et fais mon sac. Puis, je m'endors en pensant à la surprise de mes oncles et mes tantes quand j'arriverai au camp de chasse.

Sept

La pluie a cessé au cours de la nuit. L'aube vient tout juste de mettre la main sur l'horizon.

Je traverse le village d'un bon pas. Quand j'arrive à la hauteur du garage, je m'arrête un instant. Je n'y ai jamais remis les pieds. J'ai l'impression qu'en ouvrant la porte je pourrais voir mon père, affairé sous une voiture. J'hésite en regardant autour de moi, puis je poursuis mon chemin.

En haut de la côte, je fais une pause devant la maison où nous avons passé l'hiver, Matthias et moi. Mes jambes vont bien, mais mon sac est lourd et je dois souffler un peu. La véranda a l'air d'un champ de bataille. Plus loin, dans la clairière, l'échelle à neige est tombée.

À mes pieds, le sol est spongieux et les pousses de fougères se nourrissent déjà des herbes mortes de l'automne. Je lève la tête. Devant moi, les grandes épinettes sont droites et noires. Elles marquent la fin du village, le début de la forêt.

Remerciements

L'auteur remercie Mylène Bouchard, Simon-Philippe Turcot, Brigitte Caron, Nicolas Rochette, Laurence Grandbois-Bernard, Aimée Verret, Michel Guay, Nicolas Grenier, Micheline Bérubé, Jean-Marc Desroches et Marie Braeuner.